Les cahiers d'exercices ASSIMIL

Arabe
Faux-débutants

Daniel Krasa

Avant-propos

Dans ce cahier, tous les points importants de la langue arabe seront abordés : à travers 17 chapitres et 171 exercices, ainsi que des banques de vocabulaire, vous vous familiariserez progressivement avec les fondamentaux de la grammaire arabe, des verbes jusqu'aux chiffres, en passant par les substantifs, adverbes, prépositions et conjonctions, sans oublier les dérivations, la négation ainsi que les tournures adverbiales. Vous allez ainsi revoir toutes les bases sans rien oublier de vos acquis !

Ce cahier vous permet également de vous auto-évaluer : après chaque exercice, dessinez l'expression de vos icônes (☺ pour une majorité de bonnes réponses, 😐 pour environ la moitié et ☹ pour moins de la moitié). À la fin de chaque chapitre, reportez le nombre d'icônes relatives à tous ces exercices et, en fin d'ouvrage, faites les comptes en reportant les icônes des fins de chapitres dans le tableau général prévu à cet effet !

Sommaire

1. Le verbe – révision 3	11. La dérivation IX 73
2. Le subjonctif 9	12. La dérivation X 76
Lexique et lecture : la famille 13	13. Les auxiliaires modaux 88
3. Les neuf dérivations verbales 14	14. Les masdars (les noms d'actions) 92
4. La dérivation II 18	*Lexique et lecture : les mois de l'année* 102
5. La dérivation III 27	15. La négation du futur 103
6. La dérivation IV 35	16. La négation des phrases nominales 106
7. La dérivation V 43	17. Les prépositions 112
8. La dérivation VI 51	Solutions 121
9. La dérivation VII 58	Tableau d'autoévaluation 128
10. La dérivation VIII 63	

Le verbe – révision

Vous souvenez-vous que le verbe constitue la partie intégrale de la phrase arabe ? Le système verbal est complexe et assez vaste en même temps. La plupart des verbes s'appuient sur une racine trilitère. Chaque verbe arabe connaît une base consonantique dont on dérive toutes sortes de formes verbales. Cette forme de base s'appelle racine et elle est constituée dans la plupart des cas de trois consonnes – l'arabe ne connaît pas de vraies voyelles (longues) dans la langue écrite ! Il existe également des racines de deux ou de quatre consonnes, mais elles sont plutôt rares. Chaque racine est issue d'une notion définie ou d'une idée qui est exprimée par le verbe, c'est-à-dire que la racine possède une idée globale. Par exemple, les consonnes *k*, *t* et *b* ont à voir avec quelque chose d'écrit, ce qui veut dire que toutes les formes dérivées ont aussi à voir avec quelque chose qui est largement lié à cette idée. On distingue deux aspects : l'accompli et l'inaccompli, auxquels s'ajoutent l'inaccompli apocopé et le subjonctif (voir page 6). L'arabe ne connaît pas d'infinitif.

❶ Identifiez les verbes dans les phrases suivantes et encerclez-les.

a. السّيّد أحمد يذهب إلى المنزل.

b. هل تعرفه منذ وقت طويل؟

c. جاك فرنسيّ، هو وصل مِن باريس.

d. النّاس رقصوا وضحكوا كثيراً.

e. هيّا اشرب قدحاً مِن النّبيذ معي!

f. أنتِ لستِ مِن هنا. يبدو كأنّكِ لم تفهمي؟

g. هل تعملين في مطعم لبنانيّ هناك؟

❷ Pouvez-vous catégoriser les informations verbales de l'exercice précédent ?

	Verbe	Personne	Forme verbale
a.	ذهب	3ᵉ personne du singulier masculin (هو)	inaccompli
b.			
c.			
d.			
e.			
f.			
g.			

3

CHAPITRE 1 : LE VERBE – RÉVISION

 Ajoutez les verbes qui manquent dans les phrases suivantes en vous aidant de la liste ci-dessous.

يقع – توجد – ستأتي – يكون – نبحث – تعرفين – أشرب

a. هل .... معنا إلى المقهى؟
b. هل .... طبيباً جيّداً في هذه المدينة؟
c. أنا .... عصير الليمون، وأنتَ؟
d. .... عن مطعم رخيص.
e. كلّ شيء .... في البداية صعباً.
f. .... هناك حانة جميلة؟
g. .... أين فندق الواحة؟

Banque de mots

أتى	venir
بداية	début
جاك	Jacques
حانة	bar, bistro
عصير الليمون	jus de citron
قدح	verre, gobelet
منذ	depuis
منزل	maison
نبيذ	vin
هيّا ...!	Allez... ! Allons... !
واحة	oasis
وقع	se trouver
يبدو كأن	il paraît, comme si
يوجد / توجد	il y a

 Mettez les phrases suivantes (qui sont à l'accompli) à l'inaccompli.

a. دخل المدير المكتب.
....
b. فهمنا درس الفيزياء.
....
c. عملتُ أسبوعاً كاملاً.
....
d. حميد قال لي أين تسكن عمّته.
....
e. ذهبتْ منيرة إلى السّينما مع أختها.
....
f. جلستم ساعتين في مقهى عند الميناء.
....
g. لماذا دفعتَ ثمن الرّحلة إلى الكويت؟
....

CHAPITRE 1 : LE VERBE – RÉVISION

5 Traduisez ces phrases nominales en français. N'oubliez pas que l'arabe ne traduit souvent pas les verbes *être* et *avoir*.

a. كيف الحال اليوم؟

→ ....

b. هذه الآنسة عائشة.

→ ....

c. هي مِن دمشق.

→ ....

d. مرحباً يا محمود! أين أنتَ؟

→ ....

e. هذا غير ممكن! حقًّا!

→ ....

f. لماذا الشّاي بارد؟

→ ....

g. هذه مفاجأة بحقّ!

→ ....

h. أنا عطشانة جدّاً.

→ ....

5

CHAPITRE 1 : LE VERBE – RÉVISION

Banque de mots

فيزياء	physique	حقًّا!؟	C'est vrai !?	أسبوع	semaine
لماذا؟	Pourquoi ?	حميد	Hamid	آنسة	mademoiselle
مفاجأة	surprise	رحلة	voyage, tour	بارد	froid
ممكن	possible	سينما	cinéma	بحقّ	vraiment
منيرة	Mounira	عمّة	tante (paternelle)	ثمن	prix

6 Vous souvenez-vous des constructions pour traduire le verbe *avoir* ? Reliez chaque phrase à la traduction correcte en français.

a • هل عندكم التّذاكر؟ • 1 Vous deux n'avez de temps que les dimanches, n'est-ce pas ?

b • حسناً! لدينا وقت اليوم! • 2 Avez-vous de l'argent (sur vous) ?

c • لديكَ دقيقة واحدة فقط مِن الوقت. • 3 Ce soir, il y a beaucoup de gens chez nous.

d • كان عندي فكرة جيدة! • 4 Mon entreprise a une succursale en Algérie.

e • هل معكم نقود؟ • 5 J'avais une bonne idée !

f • عندكما وقت أيّام الأحد فقط، أليس كذلك؟ • 6 Avez-vous les billets ?

g • لدى شركتي فرع في الجزائر. • 7 Tu as seulement une minute [de temps].

h • كثير مِن النّاس موجودون هذا المساء عندنا. • 8 Bien ! Nous avons du temps aujourd'hui !

CHAPITRE 1 : LE VERBE – RÉVISION

7 Reliez chaque phrase avec le dessin correspondant.

a • أيّ كتاب هذا؟

b • هذه فكرة جيّدة.

c • عندي ألم في الأسنان.

d • هنا ممنوع وقوف السّيّارات!

e • هذا صحيح!

• 1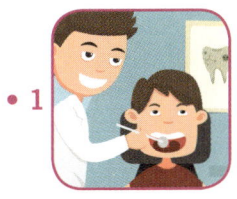
• 2
• 3
• 4
• 5

> L'arabe utilise certains compléments verbaux pour rendre des notions explicites qui, en français, sont rendues par la combinaison de verbes ou certaines formes verbales. L'arabe utilise souvent une combinaison de verbes là où le français utilise un impératif. Le français dit « allons » et l'arabe « laissons-nous allons ». Par exemple, la construction avec un verbe à la première personne du pluriel de l'inaccompli exprime la notion de *Faisons… !, Allons… !*, etc.

8 Reliez chaque phrase arabe à sa traduction française.

a • دعنا نذهب إلى السّينما!

b • دعنا نمكث بعض الوقت هنا!

c • انظر هناك قطّة على الشجرة! دعونا نساعدها!

d • دعنا نشرب قهوة في السّاعة العاشرة!

e • دعنا نذهب إلى حيّ الميناء! فهناك دائماً حركة كثيرة.

f • دعنا نأخذ سيارة أجرة ونرجع إلى البيت!

• 1 Regarde, il y a un chat sur l'arbre ! Allons l'aider !

• 2 Buvons du café à dix heures !

• 3 Allons au quartier du port ! Là, il y a toujours du mouvement.

• 4 Allons au cinéma !

• 5 Prenons un taxi et rentrons à la maison !

• 6 Restons quelque temps ici !

CHAPITRE 1 : LE VERBE – RÉVISION

Banque de mots

دقيقة / دقائق	minute
ساعد	aider
سيارة أجرة	taxi
فرع	succursale, branche
فكرة	idée
كثير مِن	beaucoup de
مكث	rester
ممنوع	interdit
وقوف السّيارات	stationnement (de voitures)
ألم / آلام	douleur
انظر!	Regarde !
أيّ؟	Quel ?
بعض	certain(s)
حركة	mouvement
حسناً!	Bien !
حيّ	quartier

مبروك! (Félicitations !) Vous êtes venu(e) à bout du chapitre 1 ! Il est maintenant temps de comptabiliser les icônes et de reporter le résultat en page 128 pour l'évaluation finale.

Le subjonctif

Le subjonctif du verbe est une forme verbale utilisée notamment avec la négation du futur (voir page 103), mais aussi après des tournures spécifiques avec أَنْ (voir page 88). Il s'agit au fond de la même forme que celle de l'inaccompli, mais en appliquant un **fatha** au lieu du **damma** final et – comme pour l'inaccompli apocopé – en supprimant le ن- final des autres terminaisons, sauf aux deuxième et troisième personnes féminines au singulier ; pour les deuxième et troisième personnes masculines du pluriel, le ن- est supprimé et remplacé par un ا muet. Conjuguons le verbe ذهب (*aller*) :

Pluriel		Duel		Singulier	
nous allions	نَذْهبَ			j'aille	أَذْهبَ
vous alliez (m.)	تَذْهبوا	vous (deux) alliez	تَذْهبا	tu ailles (m.)	تَذْهبَ
vous alliez (f.)	تَذْهبنَ			tu ailles (f.)	تَذْهبي
ils aillent	يَذْهبوا	ils (deux) aillent	يَذْهبا	il aille	يَذْهبَ
elles aillent	يَذْهبنَ	elles (deux) aillent	تَذْهبا	elle aille	تَذْهبَ

Remarque : Dans la langue parlée, les voyelles finales des formes verbales sont très rarement prononcées, raison pour laquelle la différence entre l'inaccompli et le subjonctif n'est souvent audible qu'à la deuxième personne du singulier féminin, ainsi qu'au duel aux deuxième et troisième personnes du pluriel masculin.

Au cours des prochains chapitres, on notera souvent la vocalisation, notamment là où elle est importante pour distinguer des formes verbales complexes.

CHAPITRE 2 : LE SUBJONCTIF

1. Mettez ces verbes au subjonctif.

	فعل	كتب	جلس
أنا			
أنتَ			
أنتِ			
هو			
هي			
نحن			
أنتم			
هم			
هنّ			
أنتما			
هما			

2. Prenez les verbes à l'accompli dans les phrases suivantes et transformez-les au subjonctif.

a. طبختما الطّعام. ← ....

b. ضحكتُ مِن نكتة. ← ....

c. لعبوا في حجرة الجلوس. ← ....

d. سقطا مِن الشّجرة. ← ....

e. مزحتِ بموضوع جادّ. ← ....

f. فتحتم الباب. ← ....

g. الكلبتان نبحتا. ← ....

CHAPITRE 2 : LE SUBJONCTIF

3 Ajoutez le pronom correct de ces verbes au subjonctif.
(Pour **e** et **f**, deux solutions sont possibles.)

a. .... تسكني
b. .... يربحَ
c. .... يطلبوا
d. .... يبحثا
e. .... / .... تنظرا
f. .... / .... تعملَ

مشى	قال	
أمشِيَ	أقُولَ	أنا
تمشِيَ	تقُولَ	أنتَ
تمشِي	تقولي	أنتِ
يمشِيَ	يقُولَ	هو
تمشِيَ	تقُولَ	هي
نمشِيَ	نقُولَ	نحن
تمشوا	تقولوا	أنتم
تمشينَ	تقُلْنَ	أنتنّ
يمشوا	يقولوا	هم
يمشينَ	يقُلْنَ	هنّ
تمشيا	تقولا	أنتما
يمشيا	يقولا	هما (m.)
تمشيا	تقولا	هما (f.)

Contrairement à l'inaccompli apocopé pour les verbes concaves – c'est-à-dire les verbes dont un و ou ي se situe en position centrale à l'inaccompli –, au subjonctif, on ne remplace pas les voyelles longues par **damma** ou **kasra**. C'est aussi le cas pour les verbes dits défectueux, qui maintiennent les terminaisons de l'inaccompli. Comparez :

CHAPITRE 2 : LE SUBJONCTIF

4 Mettez le verbe indiqué à la forme correcte au subjonctif. (Pour d, deux solutions sont possibles.)

a. (هو) .... زار

b. (أنتِ) .... نام

c. (نحن) .... بقي

d. (هما) .... / .... باع

e. (أنتما) .... صام

f. (هم) .... قام

g. (هنّ) .... شكا

5 Trouvez le pronom personnel correct. (Pour f et g, deux solutions sont possibles.)

a. .... تدُرنَ

b. .... نْسَى

c. .... أطورَ

d. .... يبكِيَ

e. .... تصيحوا

f. .... / .... ترجُوَ

g. .... / .... تبدُوَ

Banque de mots

جادّ	sérieux
حجرة الجلوس	salon
سقط	tomber, chuter
مزح	plaisanter
موضوع	thème, matière
نبح	aboyer
نكتة	blague

مبروك! (Félicitations !) Vous êtes venu(e) à bout du chapitre 2 ! Il est maintenant temps de comptabiliser les icônes et de reporter le résultat en page 128 pour l'évaluation finale.

Lexique et lecture : vocabulaire autour de la famille

La base des sociétés orientales est la famille. Que ce soit au Maghreb ou au Machrek, on fait généralement partie d'une famille nombreuse et on se considère toujours comme l'un de ses membres à part entière. Il n'est donc pas du tout rare de voir plusieurs générations sous le même toit et, dans cette même logique, la famille passe toujours avant l'individu. Comme on entendra beaucoup parler d'elle, voici les mots les plus utilisés pour nommer ses membres.

Banque de mots

عريس	marié	أطفال (طفل)	enfant(s)
عروس	mariée	زوجة	épouse
والدة	mère	عائلة؛ أهل	famille
خال	oncle (maternel)	بنت	fille
عمّ	oncle (paternel)	ابن	fils
أب؛ بابا	papa	أخ	frère
والد	père	جدّة	grand-mère
أخت	sœur	جدّ	grand-père
خالة	tante (maternelle)	أمّ؛ ماما	maman
عمّة	tante (paternelle)	زوج	mari

3
Les neuf dérivations verbales

À côté des verbes à base trilitère, l'arabe peut – théoriquement – créer, à partir de n'importe quel verbe, d'autres verbes selon un schéma consonantique et vocalique régulier. On parle de formes dérivées, dont chaque dérivation englobe un certain sens qui exprime des notions comme la forme réfléchie, passive, causative, factitive ou autres, mais dans la plupart des cas en relation avec le sens premier du verbe appelé « de base ».

Dans la langue moderne, les dérivations sont largement utilisées (bien que toutes les formes de chaque verbe ne soient pas appliquées) et, parfois, les formes dérivées prennent un sens sans connexion directe avec le verbe de base. Au total, il existe neuf formes dérivées, normalement signalées par les chiffres romains II à X – la première forme étant le verbe de base.

Pour créer les dérivations, on utilise un redoublement de consonnes ou bien on ajoute des lettres comme أ/إ/ا, ت, س ou/et ن. Pourtant, la conjugaison des formes dérivées utilise les mêmes préfixes et terminaisons qu'à la forme simple, que ce soit à l'accompli ou à l'inaccompli ! Une différence marquante est à noter : pour trois dérivations (II, III et IV), à l'inaccompli, la première voyelle courte est un **damma** au lieu du **fatha** normal.

Remarque : On fait une distinction claire entre verbes transitifs, c'est-à-dire ceux qui prennent toujours un objet, et verbes intransitifs, qui peuvent se trouver sans complément.

Par la suite, on traitera chaque forme dérivée par un chapitre précis. Mais pour commencer à comprendre le système des dérivations, il faut savoir identifier la base de chaque verbe en question.

CHAPITRE 3 : LES NEUF DÉRIVATIONS VERBALES

1 Déterminez la base verbale de chaque groupe de formes dérivées.

Exemple : ف – ع – ل ← انفعل، تفاعل، استفعل، يفعّل

a. شرّبوا، يشارب، أشربا، أتشرّب ← ....
b. ندخّل، تداخلون، داخل، تدخّلتم ← ....
c. استعلمنَ، تتعلّمونَ، أعلم، تعلّمان ← ....
d. أطبّق، طابقتا، انطبقنَ، أطبقتم ← ....
e. كسّرا، تكسّرتْ، انكسر، تكسّرينَ ← ....
f. راقبتا، ترقّبتْ، ارتقبتنّ، يراقبون ← ....

2 Regroupez ces 20 formes dérivées selon leur base verbale.

ك – ت – ب	ف – ر – ق	ن – ل – ع	خ – ب – ر	ح – س – ن

a. كتّب	f. أعلنتنّ	k. أخبرتِ	p. انفرقتْ
b. تستخبر	g. كاتب	l. أعلنتَ	q. تكاتبتم
c. تُعْلِن	h. حسّنتنّ	m. يتخابران	r. نُعْلِن
d. يتفرّقان	i. تفارقينَ	n. يُحْسِن	s. افترقوا
e. تخابرون	j. أحسنتما	o. انكتب	t. تستحسنون

CHAPITRE 3 : LES NEUF DÉRIVATIONS VERBALES

3 Regardez les dérivations des verbes trilitères et créez les schémas dans les cases en utilisant la base ف – ع – ل.

a. كَتَبَ ← فَعَلَ ← .... f. تَعَاوَنَ ← ....

b. رَتَّبَ ← .... g. اِنْفَصَلَ ← ....

c. وَاجَهَ ← .... h. اِبْتَسَمَ ← ....

d. أَلْزَمَ ← .... i. اِحْمَرَّ ← ....

e. تَكَلَّمَ ← .... j. اِسْتَعْمَلَ ← ....

4 Reprenez les modèles de l'exercice 3 – qui sont tous à l'accompli – et trouvez les paires de l'inaccompli. Faites attention aux lettres ajoutées et aux chaddas !

a • فَعَلَ، يَفْعَلُ (يَفْعِلُ/يَفْعُلُ)   1 • يَتَفَعَّلُ
b • ....   2 • يَسْتَفْعِلُ
c • ....   3 • يَنْفَعِلُ
d • ....   4 • يُفَاعِلُ
e • ....   5 • يَفْعَلُ (يَفْعِلُ/يَفْعُلُ)
f • ....   6 • يَفْتَعِلُ
g • ....   7 • يَفْعَلُّ
h • ....   8 • يُفَعِّلُ
i • ....   9 • يَتَفَاعَلُ
j • ....   10 • يُفْعِلُ

CHAPITRE 3 : LES NEUF DÉRIVATIONS VERBALES

5 Observez ces phrases du quotidien et essayez d'identifier les verbes dérivés en les encerclant.

a. ماذا تُحِبّينَ أنْ تفعلي في وقت فراغِكِ؟

b. لو سمحتَ. هل يُمْكِنُكَ أنْ تُساعِدَني؟

c. مِن فضلِكِ أعْطِينا قائمة الطّعام!

d. عادةً نُسَافِرُ في الصّيف مع الأولاد.

e. أين ومتى نَلتقي هذا المساء؟

f. مع الأسف أتَكَلَّمُ العربيّة قليلاً فقط.

g. ماذا تُفَضِّلونَ على الأغلب؟

h. هل تَسْتَطيع أنْ تُبْلِغَها بأنّني اتّصلتُ؟

6 Reliez chaque phrase de l'exercice précédent avec sa traduction en français.

1. Qu'est-ce que vous (m.) aimez le mieux ?
2. Normalement, nous voyageons en été avec les enfants.
3. Excuse-moi. Peux-tu (m.) m'aider ?
4. Peux-tu (m.) l'informer que j'ai appelé ?
5. Qu'est-ce que tu (f.) aimes faire de ton temps libre ?
6. Donne-nous la carte, s'il te (f.) plaît !
7. Où et quand nous rencontrons-nous ce soir ?
8. Malheureusement, je ne parle qu'un peu l'arabe.

Banque de mots

قليلاً	un peu	تَسْتَطيع	tu (m.) peux	اتَّصَلتُ	j'ai appelé
مع الأسف	malheureusement	تُفَضِّلون	vous (m.) aimez, vous (m.) préférez	أتَكَلَّمُ	je parle
نُسَافِرُ	nous voyageons	صيف	été	أعْطِينا!	Donne-nous (f.) !
نَلتقي	nous nous rencontrons	عادةً	normalement	أنْ	que
يُمْكِنُكَ	tu (m.) peux, il t'est possible	على الأغلب	le mieux, le plus	بأنّني	que je
		فراغ	libre	تُبْلِغ	tu (m.) informes
		قائمة الطّعام	carte, menu	تُحِبّين	tu (f.) aimes
				تُساعِدُ	tu (m.) aides

مبروك! (Félicitations !) Vous êtes venu(e) à bout du chapitre 3 ! Il est maintenant temps de comptabiliser les icônes et de reporter le résultat en page 128 pour l'évaluation finale.

4
La dérivation II

La dérivation II est formée par un redoublement de la deuxième consonne et en appliquant des schémas vocaliques **fatha-fatha-fatha** à l'accompli et **damma-fatha-kasra-damma** à l'inaccompli : le verbe exemplaire فَعَلَ devient donc فَعَّلَ à l'accompli et يُفَعِّلُ à l'inaccompli.

Dans beaucoup de cas, la dérivation II a valeur de factitif ou causatif – comme entre نَظُفَ (*être propre*) et نَظَّفَ (*nettoyer*), ou رَقَصَ (*danser*) et رَقَّصَ (*faire danser*). Pour certains verbes, la dérivation II indique l'intensité de l'action – comme pour كَسَرَ (*briser, casser*) et كَسَّرَ (*écraser, fracasser*), et dans d'autres cas elle a un caractère descriptif : كَذَبَ (*mentir*), كَذَّبَ (*accuser quelqu'un de mentir, considérer quelqu'un comme un menteur*).

Un certain nombre de verbes à cette forme sont dérivés d'un nom ou d'un adjectif, et non d'un verbe : صلاح (*qualité, convenance*) devient صَلَّحَ (*réparer*), et جميل (*beau, joli*) devient جَمَّلَ (*embellir, enjoliver*). La plupart des verbes à la dérivation II sont transitifs.

1 Créez la dérivation II des racines suivantes à la personne donnée entre parenthèses, à l'accompli.

a. (أنتِ) .... د – خ – ن

b. (هما) .... ر – ت – ب

c. (أنتما) .... ف – ض – ل

d. (أنتَ) .... ق – د – ر

e. (هي) .... ك – ل – ف

f. (نحن) .... د – ر – ب

CHAPITRE 4 : LA DÉRIVATION II

2 Trouvez maintenant les formes à l'inaccompli des verbes de l'exercice précédent.

a. .... d. ....

b. .... e. ....

c. .... f. ....

3 Liez les 6 noms aux verbes dérivés en comparant les formes et les traductions entre parenthèses.

a • سبب (raison, cause)   1 • حَلَّلَ (analyser)
b • قرار (décision)   2 • عَلَّمَ (enseigner)
c • حلّ (solution)   3 • ذَكَّرَ (évoquer, rappeler)
d • عِلْم (savoir, connaissance) 4 • قَرَّرَ (décider)
e • ذكرى (mémoire, souvenir)   5 • سَبَّبَ (causer, produire)
f • حركة (mouvement)   6 • حَرَّكَ (bouger, remuer)

4 Complétez le tableau suivant avec les formes verbales correctes de l'accompli.

فكّر	صلّح	درّس	
			أنا
			أنتَ
			أنتِ
			هو
			هي
			نحن
			أنتم
			أنتنّ
			هم
			هنّ

CHAPITRE 4 : LA DÉRIVATION II

Banque de mots

فضّل	préférer	دخّن	fumer
فكّر	penser, réfléchir	درّب	entraîner
قدّر	évaluer	درّس	enseigner, instruire
كلّف	charger, coûter	رتّب	arranger, ordonner

5 Mettez la forme correcte à l'inaccompli.

6 Réécrivez les verbes de l'exercice précédent en ajoutant les voyelles.

a. (أنتِ) حسّن .... a. ....
b. (هما) صدّق .... b. ....
c. (أنتما) سخّن .... c. ....
d. (أنا) حمّل .... d. ....
e. (هي) قدّم .... e. ....
f. (نحن) نظّم .... f. ....

7 Ajoutez le pronom personnel qui convient.

a. .... صرّفتما
b. .... يجهّز
c. .... رحّبا
d. .... قطّعنا
e. .... تعدّلونَ
f. .... تفتّشان

CHAPITRE 4 : LA DÉRIVATION II

8 Ces phrases sont à l'accompli : mettez-les à l'inaccompli.

a. الإعلاميون ندّدوا ببيان سكرتير الدّولة.

← ....

b. حسّنتْ إدارة البلديّة نظافة المدينة.

← ....

c. كسّر الأولاد غصن الشّجرة للمدفأة.

← ....

d. درّس أحمد اللّغة العربيّة في الجامعة.

← ....

e. قدّمتُ نفسي أمام مدير الكلّيّة.

← ....

f. رحّبنا بكم في قريتنا الجميلة.

← ....

Banque de mots

صرّف	changer	إدارة البلديّة	municipalité
عدّل	modifier	إعلاميّ	correspondant, journaliste
غصن	branche	بيان	avis, déclaration
فتّش	chercher, rechercher, examiner	جهّز	préparer, munir de, équiper de
قدّم	présenter, offrir	حسّن	améliorer, perfectionner
قدّم نفسه	se présenter	حمّل	charger, faire porter
قطّع	couper	رحّب	accueillir
كلّيّة	faculté	سخّن	chauffer, réchauffer
مدفأة	poêle	سكرتير الدّولة	secrétaire d'État
ندّد	divulguer	صدّق	croire
نظّم	arranger, organiser		

CHAPITRE 4 : LA DÉRIVATION II

Les verbes appelés hamzés, c'est-à-dire qui commencent avec أ, le maintiennent tel quel à l'accompli, mais ils le changent à l'inaccompli en ؤ lorsqu'il se trouve en position initiale et en ئ lorsqu'il se trouve en position médiane ou finale. Voyez dans le tableau suivant les formes des verbes hamzés à la dérivation II – à l'accompli et à l'inaccompli – pour les verbes هنّأ (*féliciter*), رأّس (*nommer* [à la présidence]) et أجّل (*ajourner, remettre*) :

	هنّأ		رأّس		أجّل	
	inaccompli	accompli	inaccompli	accompli	inaccompli	accompli
أنا	أُهَنِّئُ	هنّأتُ	أُرَئِّسُ	رأّستُ	أُوَجِّلُ	أجّلتُ
أنتَ	تُهَنِّئُ	هنّأتَ	تُرَئِّسُ	رأّستَ	تُوَجِّلُ	أجّلتَ
أنتِ	تُهَنِّئينَ	هنّأتِ	تُرَئِّسينَ	رأّستِ	تُوَجِّلينَ	أجّلتِ
أنتما	تُهَنِّئانِ	هنّأتما	تُرَئِّسانِ	رأّستما	تُوَجِّلانِ	أجّلتما
هو	يُهَنِّئُ	هنّأ	يُرَئِّسُ	رأّسَ	يُوَجِّلُ	أجّلَ
هما	يُهَنِّئانِ / تُهَنِّئانِ	هنّأ / هنّأتا	يُرَئِّسانِ / تُرَئِّسانِ	رأّسا / رأّستا	يُوَجِّلانِ / تُوَجِّلانِ	أجّلا / أجّلتا
هي	تُهَنِّئُ	هنّأت	تُرَئِّسُ	رأّست	تُوَجِّلُ	أجّلت
نحن	نُهَنِّئُ	هنّأنا	نُرَئِّسُ	رأّسنا	نُوَجِّلُ	أجّلنا
أنتم	تُهَنِّئونَ	هنّأتم	تُرَئِّسونَ	رأّستم	تُوَجِّلونَ	أجّلتم
أنتنّ	تُهَنِّئنَ	هنّأتنّ	تُرَئِّسنَ	رأّستنّ	تُوَجِّلنَ	أجّلتنّ
هم	يُهَنِّئونَ	هنّؤوا	يُرَئِّسونَ	رأّسوا	يُوَجِّلونَ	أجلوا
هنّ	يُهَنِّئنَ	هنّأنَ	يُرَئِّسنَ	رأّسنَ	يُوَجِّلنَ	أجّلنَ

9 Complétez les phrases suivantes en utilisant les formes verbales de la liste ci-dessous (chaque forme ne peut être utilisée qu'une seule fois).

أكّدتُ – أثّرتْ – خبّأتِ – يُهنّئ – تُؤجّر

a. .... الوزير الرّئيس الجديد.

b. .... حجز بطاقتي إلى دبيّ.

c. .... صديقتي في الصّيف شقّتها.

d. .... الضّرائب العالية على دخْلي هذه السّنة.

e. أين .... الألماس الّذي وهبتُهُ لكِ؟

CHAPITRE 4 : LA DÉRIVATION II

 Complétez le tableau suivant. Attention aux formes du duel !

	برّأ		أسّس	
	inaccompli	accompli	inaccompli	accompli
أنا				
أنتَ				
أنتِ				
هو				
هي				
نحن				
أنتم				
هم				
أنتما				
هما (m.)				

Banque de mots

حَجْز	réservation	أثّر	influencer
خبّأ	cacher, dissimuler	أجّر	louer
دخل	revenu	أسّس	fonder
رئيس	président	أكّد	confirmer
ضرائب	impôts	ألماس	diamants (pluriel)
عالٍ	haut, élevé	برّأ	libérer, acquitter
وهب	donner	بطاقة	billet, ticket

CHAPITRE 4 : LA DÉRIVATION II

Contrairement aux verbes de base, à la dérivation II, les semi-voyelles و et ي sont stables, c'est-à-dire qu'elles persistent aussi à l'inaccompli. C'est le cas des verbes « assimilés » – où la première consonne est un و à l'accompli, comme dans وَصَّلَ، يُوَصِّلُ (*joindre*) – et des verbes concaves – où la consonne redoublée est un و ou ي, comme dans صَوَّرَ، يُصَوِّرُ (*photographier, prendre en photo*).

Les verbes défectueux – ceux qui se terminent en ى à l'accompli – le transforment en ي à l'inaccompli, comme غَنَّىَ، يُغَنِّي (*chanter*). Comme pour les verbes de base, le ى final est supprimé à la troisième personne féminine du singulier et à la troisième personne masculine du pluriel à l'accompli. Le ي final disparaît à l'inaccompli à la deuxième personne du singulier féminin ainsi qu'aux deuxième et troisième personnes masculines du pluriel.

Complétez les phrases avec la forme correcte du verbe entre parenthèses.

a. .... (وقّع) الوزراء اتّفاقيّة السّلام في العاصمة غداً.

b. .... (عيّن) رئيس الجمهوريّة سفيراً جديداً في واشنطن أمس.

c. في حياتهم .... (ضحّى) والداي كثيراً لخيرنا!

d. ما .... (غيّر) فاطمة شخصيّة زوجها، حتى بعد عشرين سنة.

e. الإطار مشقوق، علينا أنْ .... (وقّف) سيّارةَ أجرة.

CHAPITRE 4 : LA DÉRIVATION II

 Observez ces trois phrases et conjuguez le verbe à l'accompli et à l'inaccompli.

a. يُصَلِّي المسلمون خمس مرّات يوميّاً.

	accompli	inaccompli
أنا		
أنتَ		
أنتِ		
هو		يُصَلِّي
هي		
نحن		
أنتم		
هم		

b. هل مِن الممكن أنْ نُصَوِّرَ هنا؟

	accompli	inaccompli
أنا		
أنتَ		
أنتِ		
هو		
هي		
نحن		نُصَوِّرَ
أنتم		
هم		

c. غَنَّتْ مايا كلّ المساء إكراماً لكم.

	accompli	inaccompli
أنا		
أنتَ		
أنتِ		
هو		
هي	غَنَّتْ	
نحن		
أنتم		
هم		

CHAPITRE 4 : LA DÉRIVATION II

Banque de mots

ضحّى	sacrifier	اتّفاقيّة السّلام	accord de paix
عيّن	désigner	إطار	pneu
غيّر	changer	إكراماً لِـ	en l'honneur de
مشقوق	déchiré, fissuré	بعد	après
واشنطن	Washington	جمهوريّة	république
والدان	parents	حياة	vie
وقّع	signer	خير	bien (substantif)
وقّف	arrêter	شخصيّة	personnalité
يوميّاً	par jour, chaque jour	صلّى	prier
		صوّر	photographier

مبروك! (Félicitations !) Vous êtes venu(e) à bout du chapitre 4 ! Il est maintenant temps de comptabiliser les icônes et de reporter le résultat en page 128 pour l'évaluation finale.

5
La dérivation III

La dérivation III se caractérise par l'ajout d'un ا après la première consonne de la racine et en appliquant des schémas vocaliques **fatha-fatha-fatha** à l'accompli et **damma-fatha-kasra-damma** à l'inaccompli : فَاعَلَ، يُفَاعِلُ.

La dérivation III implique très souvent l'idée de faire quelque chose ensemble avec quelqu'un ou en direction de quelqu'un ou de quelque chose, comme كَتَبَ (*écrire*) et كَاتَبَ (*écrire à, correspondre avec*) ou سَكَنَ (*habiter*) et سَاكَنَ (*habiter ensemble, habiter avec*).

Les verbes de la dérivation III sont presque toujours transitifs et le complément est au cas direct ou il est exprimé par un pronom affixe.

❶ Ces 6 verbes communs sont dérivés des racines entre parenthèses. Retrouvez-les à la dérivation III à l'accompli de la troisième personne du singulier masculin et entourez-les dans cette grille.

téléphoner (ه – ت – ف), serrer la main (ص – ف – ح), aider (س – ع – د),
participer à (س – ه – م), exercer (م – ر – س), s'en prendre à, quereller (خ – ص – م)

ض	س	ا	ه	م
خ	ا	ت	ي	ا
ط	ع	غ	ل	ر
ء	د	ة	ث	س
ب	ش	آ	ص	ة
غ	خ	و	ا	ى
ه	ا	ت	ف	خ
ت	ص	ض	ح	ء
ء	م	ل	ي	ظ

CHAPITRE 5 : LA DÉRIVATION III

2 Mettez la forme correcte à l'accompli.

a. (أنا) .... قابل d. (هنّ) .... شاهد

b. (هو) .... شارك e. (أنتما) .... غادر

c. (أنتم) .... حادث f. (نحن) .... سافر

3 Créez la dérivation III des racines suivantes à la personne donnée, à l'accompli.

a. (أنتِ) .... ج – د – ل

b. (هما) .... س – ب – ق

c. (أنتما) .... ه – ج – ر

d. (أنتَ) .... ج – ل – س

e. (هي) .... ر – ج – ع

f. (هم) .... ن – ق – ش

Banque de mots

سافر	voyager	جادل	argumenter
شارك	participer	جالس	s'asseoir avec / tenir compagnie à
شاهد	regarder	حادث	parler, converser
غادر	quitter, partir	راجع	vérifier, reconsidérer
قابل	rencontrer	سابق	faire la course (en voiture, etc.)
ناقش	discuter		
هاجر	émigrer		

CHAPITRE 5 : LA DÉRIVATION III

 Complétez le tableau suivant avec les formes verbales correctes de l'inaccompli.

	ذاكر	ساعد	عامل
أنا			
أنتَ			
أنتِ			
هو			
هي			
نحن			
أنتم			
أنتنّ			
هم			
هنّ			

 Identifiez, dans les phrases suivantes, les verbes à la dérivation III en les encerclant.

a. هل تُرافقنا إلى المسرح؟   d. يُسافر الأمير بطائرة خاصّة.

b. هل تُراجعينَ أسئلة الامتحان؟   e. أُساعد ابني في دروسه في الرّياضيّات.

c. متى تُغادران إلى العطلة؟   f. هل تُشاركنَ في اجتماع الشّركة؟

     g. لماذا نُجادلهم دائماً بالسّياسة؟

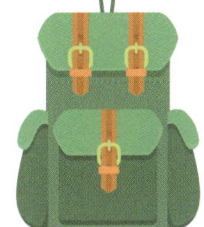

Trouvez, pour chaque verbe de l'exercice précédent, la racine et le pronom personnel corrects.

	d.
	e.
	f.
	g.

Pronom personnel	Racine	
		a.
		b.
		c.

CHAPITRE 5 : LA DÉRIVATION III

7 Reprenez les verbes de l'exercice 5 et créez les paires selon le schéma فَاعَلَ، يُفَاعِلُ

a. رَافَقَ، يُرَافِقُ
b. ....
c. ....
d. ....
e. ....
f. ....
g. ....

Banque de mots

خاصّ	privé
ذاكر	réviser, étudier
رافق	accompagner
رياضيّات	mathématiques
سياسة	politique
عامل	traiter

8 Créez des phrases logiques en insérant les verbes de la liste suivante à la place adéquate.

نُساعد – تُجادلونَ – يُعاملونني – يُهاجرونَ – يُشاهد – تُذاكر – يُغادر

a. .... الأولاد التّلفزيون كلّ اليوم.
b. أنا ورمزي .... أمّي في المطبخ.
c. .... ناديا للامتحان الصّعب.
d. أنتم .... غالباً المعلّم، أليس كذلك؟
e. الزملاء .... كأنّني أحمق.
f. كثيرون مِن ناس بلدي .... بسبب البطالة.
g. متى .... القطار التّالي إلى الأُقصُر، من فضلكَ؟

CHAPITRE 5 : LA DÉRIVATION III

9 Passez les phrases suivantes de l'accompli à l'inaccompli.

a. دافع حارس المرمى بشكل ممتاز.

← ....

b. مارستْ سميرة مهنة التّعليم.

← ....

c. المشجّعون راقبوا مهاجم فريقهم.

← ....

d. عالجنا المريض بدون تخدير.

← ....

e. راسلتم أصدقاءكم في الخرطوم.

← ....

f. المديران عاملا موظّفيهما بثقة.

← ....

Banque de mots

رمزي	Ramzi	أحمق	sot, idiot
سميرة	Samira	الأُقْصُر	Louxor
عالج	traiter, soigner	بشكل	de façon
غالباً	souvent	بطل	héros
فريق	équipe	تالي	prochain
كأنّني	comme si j'étais	تخدير	anesthésie
مارس	pratiquer	تلفزيون	télévision
مشجّع	supporter, fan	ثقة	confiance
مِن أجل	pour	حارس المرمى	gardien de but
مهاجم	attaquant, avant (football)	حريّة	liberté
مهنة	métier, profession	دافع	défendre
موظّف	fonctionnaire, employé	راسل	correspondre
ناديا	Nadia	راقب	observer

CHAPITRE 5 : LA DÉRIVATION III

On peut également créer la dérivation III des verbes hamzés. À l'accompli, le hamza devient آ lorsqu'il se trouve à la position initiale, sinon il est maintenu. À l'inaccompli, il se présente sous la forme وَ lorsqu'il se trouve en position initiale et sous la forme ئ lorsqu'il se trouve en position médiane ou finale : آخَذَ، يُوَاخِذُ (blâmer), سَاءَلَ، يُسَائِلُ (interroger) et كَافَأَ، يُكَافِئُ (récompenser).

10 Complétez le tableau suivant.

فاجأ		لاءم		آخذ		
inaccompli	accompli	inaccompli	accompli	inaccompli	accompli	
						أنا
						أنتَ
						أنتِ
						هو
						هي
						نحن
						أنتم
						أنتنّ
						هم
						هنّ

Comme pour la dérivation II, les verbes assimilés, concaves et défectueux maintiennent les semi-voyelles و et ي aux positions initiale, médiane et finale. Quand un verbe a un ا en position médiane à l'accompli, celui-ci est remplacé par ي à l'inaccompli.

CHAPITRE 5 : LA DÉRIVATION III

Complétez le tableau suivant en y plaçant correctement les formes de la liste ci-après.

عانى inaccompli	عانى accompli	شاور inaccompli	شاور accompli	واجه inaccompli	واجه accompli	
أُعانِي		أُشاوِرُ	شاوَرْتُ		واجَهْتُ	أنا
	عانَيْتَ	تُشاوِرُ		تُواجِهُ	واجَهْتَ	
تُعانِينَ	عانَيْتِ	تُشاوِرِينَ				أنتِ
يُعانِي	عانى		شاوَرَ		واجَهَ	هو
		تُشاوِرُ		تُواجِهُ	واجَهَتْ	هي
	عانَيْنا		شاوَرْنا	نُواجِهُ		
		تُشاوِرُونَ			واجهتم	
يُعانُونَ			شاوَرُوا	يُواجِهُونَ		هم

a. عانَتْ   h. عانَيْتم   o. يُشاوِرُ   v. عانَيْتُ
b. يُشاوِرُونَ   i. واجَهُوا   p. تُعانِي   w. شاوَرَتْ
c. واجَهْتِ   j. نُعانِي   q. تُعانُونَ   x. شاوَرْتم
d. أُواجِهُ   k. تُواجِهُونَ   r. أنتم   y. نُشاوِرُ
e. واجَهْنا   l. نحن   s. تُواجِهِينَ
f. أنتَ   m. يُواجِهُ   t. عانَوا
g. شاوَرْتَ   n. شاوَرْتِ   u. تُعانِي

CHAPITRE 5 : LA DÉRIVATION III

 Voici 5 verbes que l'on utilise très souvent : ناسب, نادى, حاول, جاوب et وافق.
Trouvez les traductions de ces phrases.

- a. هل تُوافق على ذلك؟
- 1. Nous voulons appeler les enfants.

- b. هل يمكن أنْ أحاول مرّة ثانية؟
- 2. Est-ce que tu (m.) es d'accord avec ça ?

- c. عليكِ أنْ تُجاوبي على رسالتي الإلكترونيّة.
- 3. Le costume noir te (m.) va parfaitement.

- d. نُريد أنْ نُناديَ على الأطفال.
- 4. Est-ce que je peux essayer encore une fois ?

- e. البدلة السّوداء تُناسبكَ تماماً.
- 5. Tu (f.) dois répondre à mon e-mail.

Banque de mots

فاجأ	surprendre	بدلة	complet, ensemble (vêtement)
لاءم	adapter	تماماً	tout à fait, parfaitement
نادى	appeler, inviter	جاوب	répondre
ناسب	adapter, aller bien	حاول	essayer, tenter
واجه	confronter	شاور	consulter, demander conseil
وافق	être d'accord, accepter	عانى	souffrir

مبروك! (Félicitations !) Vous êtes venu(e) à bout du chapitre 5 ! Il est maintenant temps de comptabiliser les icônes et de reporter le résultat en page 128 pour l'évaluation finale.

La dérivation IV

La dérivation IV se forme en plaçant un **alif hamza** avant la première lettre de la racine, qui porte un **soukoun** : le verbe exemplaire فَعَلَ devient donc أَفْعَلَ à l'accompli et يُفْعِلُ à l'inaccompli. Les schémas vocaliques sont donc **fatha-fatha-fatha** à l'accompli et **damma-kasra-damma** à l'inaccompli. Le **hamza** est stable, c'est-à-dire qu'il est toujours écrit et prononcé – à la première personne du singulier à l'inaccompli, il porte le son « ou » : أُرْسِلُ (*j'envoie*).

Dérivée d'un autre verbe, cette forme a essentiellement une valeur de factitif ou causatif par rapport à la forme de base, comme la dérivation II : comparez جَلَسَ (*s'asseoir, être assis*) et أَجْلَسَ (*faire asseoir*) ou خَرَجَ (*sortir*) et أَخْرَجَ (*faire sortir*).

Comme pour la dérivation II, un certain nombre de verbes à cette forme sont dérivés d'un adjectif ou d'un substantif, et non d'un verbe : أَحْسَنَ (*bien faire, bien agir*) vient de حَسَن (*beau, bon*) ou encore أَذْنَبَ (*pécher*) de ذَنْب (*péché*). La grande majorité des verbes à la dérivation IV est transitive.

❶ Trouvez les formes des verbes suivants à l'accompli.

أَصْلَحَ	أَرْسَلَ	أَخْرَجَ	
			أنا
			أنتَ
			أنتِ
			هو
			نحن
			أنتم
			هم
			هنّ
			أنتما
			هما

CHAPITRE 6 : LA DÉRIVATION IV

2 Trouvez les formes des verbes suivants à l'inaccompli.

أَعْلَنَ	أَشْرَفَ	أَدْرَجَ	
			أنا
			أنتَ
			أنتِ
			هو
			نحن
			أنتم
			هم
			هنّ
			أنتما
			هما

3 Créez la dérivation IV à l'inaccompli des racines suivantes, à la personne donnée entre parenthèses.

a. ح – س – ن (أنا) ← ....

b. ق – ل – ع (أنتَ) ← ....

c. ر – س – ل (هو) ← ....

d. س – ر – ع (نحن) ← ....

e. خ – ب – ر (أنتم) ← ....

f. ن – ق – ذ (هم) ← ....

g. ص – ب – ح (هنّ) ← ....

CHAPITRE 6 : LA DÉRIVATION IV

Banque de mots

أصبح	devenir	أحسن	bien faire, exceller
أصلح	réparer, fixer	أخبر	informer, notifier
أعلن	annoncer, proclamer	أدرج	inclure, insérer
أقلع	démarrer, décoller, partir, renoncer	أسرع	se hâter, se dépêcher
أنقذ	sauver	أشرف	donner sur, superviser

4 Liez chaque forme verbale à l'inaccompli avec le pronom personnel correspondant.

a • أُرْسِل   1 • أنتما
b • تُعْلِنينَ   2 • هو
c • يُخْبِرونَ   3 • أنا
d • تُصْلِحان   4 • هم
e • يُنْعِش   5 • نحن
f • نُخْرِج   6 • أنتِ

5 Regardez ces questions et complétez les réponses en reprenant le verbe et en le mettant à la forme adéquate.

a. هل تُعْجِبكَ سيّارتي الجديدة؟ – بالتّأكيد. هي .... كثيراً!

b. هل أصْلَحتَ الدّرّاجة؟ – لا، ولكن .... الثّلاجة.

c. إلى أين تُرْسِلين الطّرد الصّغير؟ – .... إلى فرنسا.

d. هل تُنْشِد شعراً عن ظهر قلب؟ – نعم، .... شعراً للمتنبّي.

e. هل أخْبَرَكِ سمير عن الحفلة؟ – لا، ولكن .... أخته جميع الأصدقاء.

f. هل أغْلَقتما باب السّيّارة؟ – نعم، .... باب السّيّارة.

g. هل أحْسَنتم في الامتحانات؟ – لا، للأسف ما .... في الامتحانات.

CHAPITRE 6 : LA DÉRIVATION IV

Banque de mots

شعر	poème	أعجب	plaire
طرد	paquet	أغلق	fermer
ظهر	dos	إلى أين؟	vers où ?
عن ظهر قلب	par cœur	أنشد	réciter, chanter
المتنبّي	Al-Moutanabbi (poète irakien, 915-965)	أنعش	réanimer
ولكن	mais	بالتّأكيد!	bien sûr !

Comme à la dérivation II, les verbes appelés hamzés maintiennent le **hamza** tel quel à l'accompli (sauf à la première personne du singulier où il devient آ), mais ils le changent à l'inaccompli en وֹ lorsqu'il se trouve en position initiale et en ئ lorsqu'il se trouve en position médiane ou finale : آمَنَ، يُؤْمِنُ (*croire*) et أَطْفَأَ، يُطْفِئُ (*éteindre*).

6 Complétez le tableau suivant.

	أَطْفَأَ		آمَنَ	
	inaccompli	accompli	inaccompli	accompli
أنا				
أنتِ				
هو	يُطْفِئُ	أَطْفَأَ	يُؤْمِنُ	آمَنَ
هي				
نحن				
أنتم				
هم				
أنتما				
هما (m.)				

CHAPITRE 6 : LA DÉRIVATION IV

En ce qui concerne les verbes assimilés, concaves et défectueux, comme pour les autres dérivations, les semi-voyelles و et ي aux positions initiale et finale sont stables – ي devient ى à la position finale de la troisième personne du singulier masculin. Quand un verbe a un ا en position médiane à l'accompli, celui-ci est remplacé par ي à l'inaccompli. Pourtant, à l'accompli, le ا devient court (**fatha**), sauf pour la troisième personne du singulier (هو، هي), le duel de la troisième personne (هما) et la troisième personne du pluriel masculin (هم).

7 Trouvez la traduction correcte de ces phrases qui emploient des verbes assimilés, concaves et défectueux.

a. J'ai diffusé les informations.
1. أَذَعْتُ الأخبار.
2. أُذيعُ الأخبار.
3. أذاعَ الأخبار.

b. Il dirige ma société.
1. أدارَ شركتي.
2. تُديرُ شركتي.
3. يُديرُ شركتي.

c. Elles m'ont expliqué les règles.
1. أوْضحتم لي القواعد.
2. أوْضحنَ لي القواعد.
3. توضِحُ لي القواعد.

d. Les enfants nous réveillent le matin.
1. الأطفال أيْقَظونا صباحاً.
2. الأطفال يُوقِظوننا صباحاً.
3. نُوقِظُ الأطفال صباحاً.

e. Nous avons donné un discours scientifique.
1. ألقيتُنَّ خطاباً علميّاً.
2. نُلْقي خطاباً علميّاً.
3. ألقينا خطاباً علميّاً.

f. Elle annule toujours le rendez-vous.
1. تُلْغِي الموعد دائماً.
2. تُلْغِيانِ الموعد دائماً.
3. تُلْغِينَ الموعد دائماً.

Banque de mots

أوضح	clarifier		أدار	diriger, gérer
أيقظ	réveiller		أذاع	diffuser, transmettre
خطاب	discours		ألغى	annuler
علميّ	scientifique		ألقى	jeter, lancer. Ici : donner (un discours)
موعد	rendez-vous			

39

CHAPITRE 6 : LA DÉRIVATION IV

8. Il y a deux verbes que l'on utilise très souvent : أراد (*vouloir*) et أعطى (*donner*). Complétez les formes dans la grille selon les indications de la leçon.

	أعطى		أراد	
	inaccompli	accompli	inaccompli	accompli
أنا				
أنتَ				
أنتِ				
هو				
هي				
نحن				
أنتم				
أنتنّ				
هم				
هنّ				

9. Complétez avec la forme correcte de la dérivation IV du verbe جاب.

a. مَن يعرف ماذا .... موظّف البنك غداً!؟

b. أرجوكم أنْ .... قبلَ نهاية الأسبوع.

c. لا، لم .... أخي وأنا على سؤال الشّرطيّ.

d. .... صوت خشن مِن الظّلام...

e. هل .... على كلّ الأسئلة، يا منيرة؟

f. لماذا لا .... أبداً، يا سمير؟

CHAPITRE 6 : LA DÉRIVATION IV

10. La dérivation IV de وجب a le sens de *être obligé de, forcer à*. Elle est utilisée avec la préposition على. Insérez dans les phrases les formes correctes de la liste ci-dessous.

تُوجِب – توجبين – يُوجِب – أُوجِب – أوجبتْ

a. .... عليكَ الذّهاب إلى المدرسة اليوم.

b. لا .... على سليمان العمل اليوم.

c. لماذا .... دائماً عليّ أن أكذِب؟

d. .... أمّي علينا المساعدة في المطبخ البارحة.

e. .... إدارة الماليّة عليكم دَفْع الضّرائب.

Banque de mots

دَفْع	(le fait de) payer	أجاب	répondre
ذهاب	(le fait d') aller	إدارة الماليّة	fisc
صوت	voix	البارحة	hier
ظلام	obscurité	خشن	rauque
كذب	mentir		
مساعدة	aide		
نهاية الأسبوع	week-end		

11. Trouvez les racines de ces verbes qui sont concaves ou défectueux à la forme de base.

a. أوقفنا سيّارتكَ في مكان ممنوع الوقوف فيه. ← ....

b. أُنهي واجباتي المنزليّة وسأخرج بعد ذلك. ← ....

c. أوصلتَ أختكَ إلى المنزل بدرّاجتي. ← ....

d. تُجيدونَ الإنكليزيّة بالتّأكيد. ← ....

e. يُقيم حسين حفلة في شقّته الجديدة. ← ....

CHAPITRE 6 : LA DÉRIVATION IV

12. Ajoutez les formes manquantes des verbes de l'exercice précédent à l'accompli et à l'inaccompli.

L'accompli					
					أنا
		أوصلتَ			أنتَ
					أنتِ
					هو
					هي
			أوقفنا		نحن
					أنتم
					هم

L'inaccompli					
		أُنْهي			أنا
					أنتَ
					أنتِ
	يُقيم				هو
					هي
					نحن
	تُجيدونَ				أنتم
					هم

Banque de mots

واجبات منزليّة	devoirs (à la maison)	أوصل	mener à, conduire à	أجاد	maîtriser
وقوف	arrêt, (le fait de) s'arrêter	أوقف	arrêter, stopper	أقام	(ici :) organiser (une rencontre)
		بعد ذلك	après cela	أنهى	achever

مبروك! (Félicitations !) Vous êtes venu(e) à bout du chapitre 6 ! Il est maintenant temps de comptabiliser les icônes et de reporter le résultat en page 128 pour l'évaluation finale.

7
La dérivation V

Comme pour la dérivation II, la dérivation V est formée par un redoublement de la deuxième consonne et en ajoutant un ت au début. La dérivation V applique un schéma vocalique purement en **fatha** à l'accompli et à l'inaccompli (sauf pour le **damma** final) : le verbe exemplaire فَعَلَ devient donc تَفَعَّلَ à l'accompli et يَتَفَعَّلُ à l'inaccompli.

La dérivation V représente souvent la forme réfléchie ou le passif de la dérivation II : comparez جَمَّعَ (*rassembler*) et تَجَمَّعَ (*se rassembler*) ou حَرَّكَ (*bouger, remuer*) et تَحَرَّكَ (*se bouger*).

1 Créez des verbes à la dérivation V sur les schémas تَفَعَّلَ et يَتَفَعَّلُ, en partant de ces verbes à la forme II.

Exemple : جَمَّعَ ← تَجَمَّعَ، يَتَجَمَّعُ

a. حَرَّكَ ← ....

b. ذَكَّرَ ← ....

c. صَرَّفَ ← ....

d. فَرَّقَ ← ....

e. كَلَّمَ ← ....

f. عَلَّمَ ← ....

g. حَدَّثَ ← ....

CHAPITRE 7 : LA DÉRIVATION V

2. Complétez le tableau suivant avec les formes correctes de l'accompli et de l'inaccompli du verbe تَكَلَّمَ.

inaccompli	accompli	
أتكلّمُ		أنا
		أنتَ
		أنتِ
		هو
		هي
	تكلّمنا	نحن
		أنتم
		أنتنّ
		هم
		هنّ

3. Traduisez ces phrases à l'accompli. Vous trouverez entre parenthèses les racines des verbes en question — tous à la dérivation V.

a. J'ai parlé avec Faysal. (حدث)

....

b. Il s'est bien comporté. (صرف)

....

c. Nous avons escaladé le djebel Akhdar. (سلق)

....

d. Elle a fait ta (f.) connaissance. (عرف)

....

e. Où avez-vous (m.) appris l'arabe ? (علم)

....

f. Ta (m.) voiture n'a pas bougé. (حرك)

....

44

CHAPITRE 7 : LA DÉRIVATION V

Banque de mots

تصرّف	se comporter, agir	تحدّث	parler, causer
تعرّف إلى	faire la connaissance de	تذكّر	se souvenir de, se rappeler
تعلّم	apprendre, étudier	تسلّق	escalader
تفرّق	se disperser		
تكلّم	parler		
جبل أخضر	Djebel Akhdar (montagne en Oman)		
حدّث	raconter		
ذكّر	évoquer, rappeler		
علّم	enseigner		
فرّق	séparer, éloigner, diviser		
كلّم	parler		

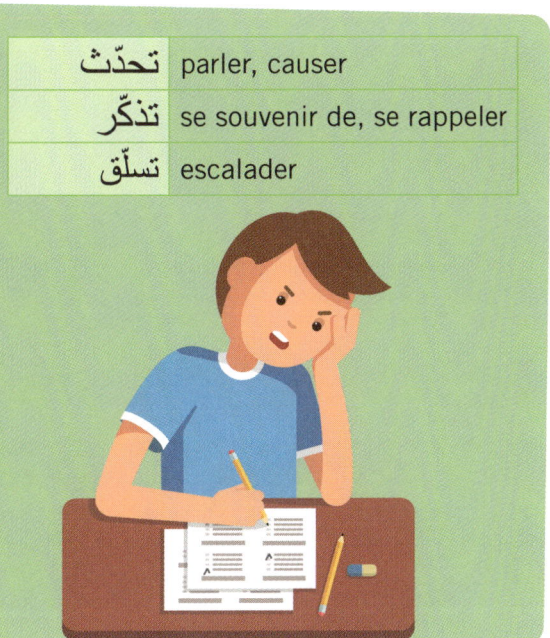

4. Transformez les phrases arabes de l'exercice précédent à l'inaccompli.

a. ....
b. ....
c. ....
d. ....
e. ....
f. ....

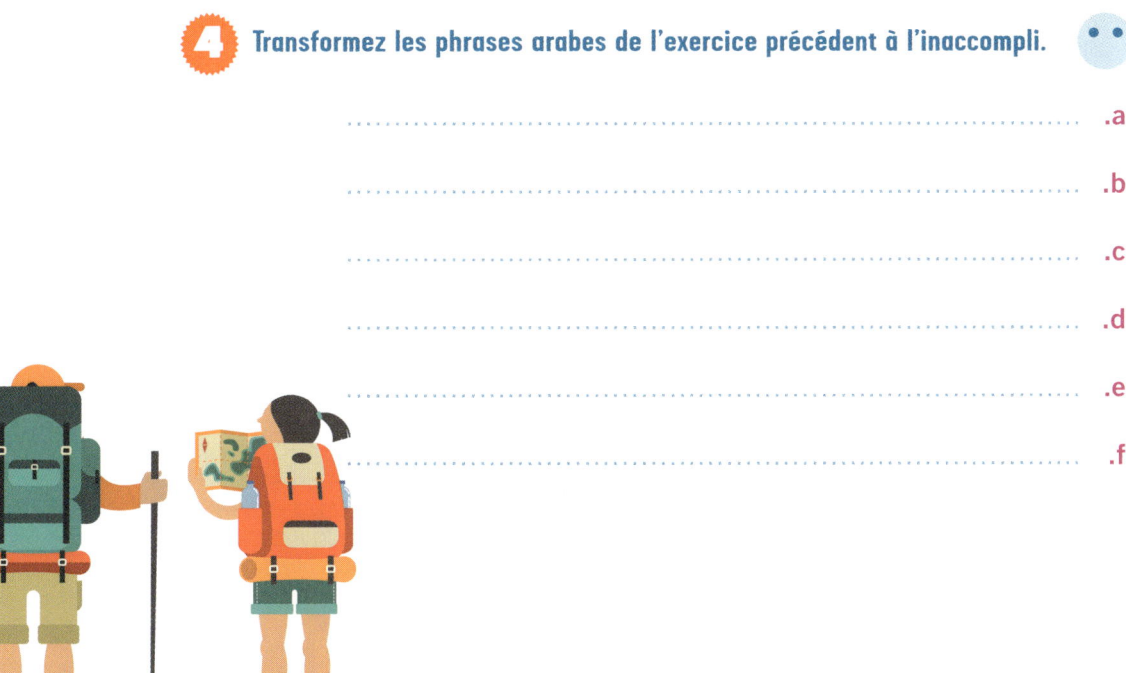

CHAPITRE 7 : LA DÉRIVATION V

5 Trouvez dans ces phrases les verbes dérivés et notez la racine.

a. لماذا تتعنّتينَ دائماً بهذا الأمر؟ ← ....

b. مسلسل الجريمة الّذي أتفرّج عليه مشوّق جداً. ← ....

c. يتعلّق هذا الكتاب بالفلسفة الإسلاميّة. ← ....

d. تعطّلت سيّارتنا في وسط الصّحراء. ← ....

e. منذ كم سنة تتعلّم العربيّة في الجامعة؟ ← ....

6 Reprenez les racines de l'exercice précédent et insérez-les dans le tableau ci-dessous. Quel est le verbe caché ?

		a	a	a
b	b	b		
c	c	c		
d	d	d		
		e	e	e

Banque de mots

تعلّق	s'accrocher, s'attacher
تعنّت	s'obstiner, s'entêter
تفرّج	regarder
جريمة	crime
فلسفة	philosophie
مسلسل	série
مشوّق	captivant, intéressant
وسط	milieu, centre

إسلاميّ	islamique
أمر	(ici :) sujet
تعطّل	tomber en panne

CHAPITRE 7 : LA DÉRIVATION V

7 Mettez les verbes à la dérivation V selon la racine et le pronom personnel entre parenthèses, à l'inaccompli.

a. صحيح أنّ الأحوال الاقتصاديّة .... (بدل، هي)؟

b. كيف .... (خلص، أنتِ) مِن كلّ الواجبات؟

c. هل تريدونَ أنْ .... (فرج، أنتم) على التّلفزيون؟

d. وراء أيّ اسم .... (ستر، هو) حسين ككاتب؟

e. بالطّبع .... (حدث، نحن) الفرنسيّة!

8 Identifiez les verbes et liez-les avec les pronoms personnels correspondants.

a • لماذا تفرّجتم طيلة بعد الظهر على التّلفزيون؟   1 • هو

b • المتظاهرات تفرّقنَ حين وصلت الشّرطة.   2 • أنا

c • تصرّف علي بسرعة لأنها كانت حالة الضّرورة.   3 • هي

d • تسلّقتُ أربعة جبال في الأطلس المغربيّ.   4 • أنتم

e • عندما كنّا أطفالاً، كنّا نتكلّم العربيّة بطلاقة.   5 • هنّ

f • تحسّنتْ صحّته بعد أسبوع في المستشفى.   6 • نحن

Banque de mots

حال / أحوال	condition
حالة الضّرورة	cas d'urgence
حين	quand, lorsque
صحّة	santé
طيلة بعد الظهر	tout l'après-midi
كـ	en tant que
متظاهر	manifestant
واجب / واجبات	obligation, devoir
وراء	derrière

الأطلس	Atlas (chaîne de montagnes au Maroc)
اقتصاديّ	économique
بالطّبع!	Bien sûr !
بسرعة	vite, rapidement
بطلاقة	couramment
تبدّل	changer
تخلّص	échapper, se débarrasser
تستّر	se cacher, abriter, camoufler

CHAPITRE 7 : LA DÉRIVATION V

Les verbes appelés hamzés maintiennent le ا tel quel à l'accompli et – contrairement à la dérivation II – aussi à l'inaccompli. Les deux verbes les plus utilisés de ce groupe sont : تأخّر (*être en retard*) et تأثّر بـ (*être influencé par*).

9 Complétez le tableau suivant avec les formes correctes de l'accompli et de l'inaccompli du verbe تأخّر.

inaccompli	accompli	
		أنا
		أنتَ
		أنتِ
يتأخّرُ	تأخّرَ	هو
		هي
		نحن
		أنتم
		أنتنّ
		هم
		هنّ

10 Complétez les phrases suivantes en utilisant les formes verbales de la liste ci-dessous (chaque forme ne peut être utilisée qu'une seule fois).

تأثّرت – تتأخّرونَ – تتأثّر – تأخّرت – تأثّر

a. .... أختي بسبب زحمة السّيّارات.

b. قالتْ زوجتي إنّكَ .... بوالدتكَ، صحيح؟

c. يبدو أنّ القاضي .... بهذه القضيّة.

d. .... الوجبات العربيّة بالطّهي الغربيّ.

e. لماذا .... دائماً، يا شباب؟

CHAPITRE 7 : LA DÉRIVATION V

Banque de mots

إنّ	que
زحمة السّيّارات	embouteillage
طهي	cuisine, façon de cuisiner
غربيّ	occidental
قاضٍ	juge
قضيّة	affaire, cas (judiciaire)

Les verbes concaves maintiennent les semi-voyelles و et ي en position médiane. Par contre, pour les verbes défectueux, on constate le ى final stable à l'accompli tout comme à l'inaccompli. Comparez تَزَوَّجَ، يَتَزَوَّجَ (*épouser, se marier*) et تَغَدَّىَ، يَتَغَدَّىَ (*déjeuner*).

Complétez les formes dans la grille. La conjugaison des verbes défectueux suit les règles de la forme de base.

	تغدّى		تزوّج	
	inaccompli	accompli	inaccompli	accompli
أنا				
أنتَ				
أنتِ				
هو	يتغدّى	تغدّى	يتزوّجُ	تزوّجَ
هي				
نحن				
أنتم				
أنتنّ				
هم				
هنّ				

CHAPITRE 7 : LA DÉRIVATION V

12 **Transformez ces phrases (qui sont à l'accompli) à l'inaccompli.**

a. تمنّيتُ لها التّوفيق في الامتحان.

← ....

b. تغدّيتم عند عائلة صديقتنا.

← ....

c. هل تسلّى قادر في المسرح؟

← ....

d. تجوّلت البنات في بستان جميل.

← ....

e. تغيّرت أسعار الأسهم في البورصة كثيراً.

← ....

f. تعشّينا في مطعم فاخر وغالٍ!

← ....

g. هل تخلّيتِ عن شغلكِ في البريد؟

← ....

Banque de mots

تغيّر	changer		بريد	poste
تمنّى	souhaiter, désirer		بستان	jardin
التّوفيق	le succès (en général avec l'article)		بورصة	bourse
			تجوّل	se promener
سعر / أسعار	prix		تخلّى عن	abandonner
سهم / أسهم	action		تسلّى	s'amuser
فاخر	de luxe, luxueux		تعشّى	dîner

مبروك! (Félicitations !) Vous êtes venu(e) à bout du chapitre 7 ! Il est maintenant temps de comptabiliser les icônes et de reporter le résultat en page 128 pour l'évaluation finale.

La dérivation VI

La dérivation VI se caractérise – comme la dérivation III – par l'ajout d'un ا après la première consonne de la racine et d'un ت au début. Le schéma vocalique est **fatha-fatha-fatha-fatha** à l'accompli et **fatha-fatha-fatha-fatha-damma** à l'inaccompli : تَفَاعَلَ، يَتَفَاعَلُ. Cette forme est souvent intransitive, mais il y a aussi des verbes transitifs en dérivation VI.

La dérivation VI représente souvent la forme réfléchie-passive de la dérivation III, mais elle implique une réciprocité. Très généralement, la dérivation III se réfère à une action entre deux personnes ; la dérivation VI a le même sens, mais en groupe : comparez حَادَثَ (*parler avec quelqu'un*) et تَحَادَثَ (*converser à plusieurs*), نَاقَشَ (*discuter avec quelqu'un*) et تَنَاقَشَ (*discuter à plusieurs*) ou encore عَامَلَ (*traiter, avoir affaire à*) et تَعَامَلَ (*être en rapport avec*).

1 Complétez le tableau suivant en y plaçant correctement les formes de la liste ci-après. Tous les verbes sont à l'accompli.

	تَحَادَثَ	تَنَاقَشَ	تَعَامَلَ
	تَحَادَثْتُ		تَعَامَلْتُ
أنتَ	تَحَادَثْتَ		
		تَنَاقَشْتِ	
هو	تَحَادَثَ		تَعَامَلَ
		تَنَاقَشَتْ	
		تَنَاقَشْنا	تَعَامَلْنا
أنتم	تَحَادَثْتم		
		تَنَاقَشُوا	
هنّ			تَعَامَلْنَ

a. تَنَاقَشْتم d. تَحَادَثُوا g. تَحَادَثْنَ j. أنتِ m. تَعَامَلْتم p. تَنَاقَشْتَ s. تَحَادَثْنا

b. تَعَامَلْتَ e. تَعَامَلْتْ h. تَعَامَلْتِ k. تَنَاقَشَ n. تَحَادَثَ q. هم t. هي

c. أنا f. تَنَاقَشْتُ i. تَنَاقَشْنَ l. نحن o. تَعَامَلُوا r. تَحَادَثْتْ

CHAPITRE 8 : LA DÉRIVATION VI

2 Reprenez les verbes de l'exercice précédent et mettez-les à l'inaccompli.

	تَحَادَثَ	تَنَاقَشَ	تَعَامَلَ
أنا			
أنتَ			
أنتِ			
هو			
هي			
نحن			
أنتم			
هم			
هنّ			

3 Créez la dérivation VI à l'accompli des racines suivantes, à la personne donnée entre parenthèses.

a. ع – م – ل (أنا) ← ....

b. ع – ق – ب (أنتَ) ← ....

c. ف – ر – ق (هي) ← ....

d. ه – ج – م (نحن) ← ....

e. ن – س – ب (أنتم) ← ....

f. ن – ز – ل (هم) ← ....

g. ق – س – م (هنّ) ← ....

CHAPITRE 8 : LA DÉRIVATION VI

Banque de mots

تعاقب	se succéder
تعامل	travailler (avec), traiter (avec)
تفارق	se séparer
تقاسم	partager, se partager
تنازل (عن)	renoncer
تناسب	être proportionné, convenir, correspondre
تهاجم	s'attaquer

4 Créez maintenant l'inaccompli de ces racines, à la personne donnée entre parenthèses.

a. ر – ف – ق (نحن) ← ....
b. ف – ر – ق (أنتِ) ← ....
c. ن – ق – ش (هما) ← ....
d. ق – س – م (هم) ← ....
e. ع – م – ل (أنتما) ← ....
f. ق – ت – ل (أنتنّ) ← ....
g. ج – د – ل (هو) ← ....

5 Dans les phrases suivantes, repérez et encerclez les verbes à la dérivation VI.

a. هل ترافقيننا إلى السّينما؟
b. الصّديقان تفارقا قبل النّوم.
c. لا يتناسب هذا الفستان مع قياسكِ.
d. أنا لا أتجادل مع زوجتي.
e. تتهاجم الكلاب على عظمة صغيرة.
f. نتقابل في السّاعة الثّامنة.
g. النّاس تكاسلوا بسبب الحرارة.

CHAPITRE 8 : LA DÉRIVATION VI

6 Trouvez les verbes mentionnés dans l'exercice 5. Pouvez-vous identifier pour chacun le pronom personnel qui lui correspond ?

a. ترافق، يترافق – نحن

b. ....

c. ....

d. ....

e. ....

f. ....

g. ....

7 Trouvez la forme correcte du verbe.

a. دعنا .... (تقابل) في السّاعة العاشرة في المقهى!

b. .... (تقاسم، نحن) جميع الفطائر الّتي كانت في الثّلاجة.

c. .... (تناقش) الأمم المتحدة في مشكلة بلادنا.

d. يجب أنْ .... (تنازل) عن تناول الحلويات!

e. .... (تعاقب) فقط رجال مسنّون على رأس جمهوريّتكم.

f. هل .... (تحادث، أنتنّ) في مشروع جديد؟

g. سائقو سيّارات السّباق .... (تسابق) في البحرين.

CHAPITRE 8 : LA DÉRIVATION VI

Banque de mots

سائق / سائقون	pilote (de course)	الأمم المتحدة	l'ONU
سباق	course	بلد / بلاد	pays
سيّارة السّباق	voiture de course	تجادل	discuter
عظمة	os	ترافق	aller ensemble
فطيرة / فطائر	galette	تسابق	concourir, faire la course (contre)
في السّاعة الثّامنة	à huit heures	تعاقب	se suivre, se succéder
في السّاعة العاشرة	à dix heures	تقابل	se rencontrer, faire face
قبل	avant	تكاسل	être paresseux
قياس	mesure, taille	تناسب	aller avec, correspondre
مشروع	projet	تناول	(le fait de) prendre
		رأس	tête

Les verbes hamzés transforment le **hamza** sur l'**alif** (أ) en آ en position initiale. Au milieu, le **hamza** est placé après l'**alif** ـاء et, en position finale, il est sur l'**alif** ـأ. Comparez تآمر (*comploter, conspirer*), تلاءم (*convenir, s'accorder*) et تكافأ (*s'égaler*).

8. Complétez les phrases suivantes en utilisant les formes verbales de la liste ci-dessous (chaque forme ne peut être utilisée qu'une seule fois).

تتضاءل – يتفاءل – يتآمرون – تتشاءمينَ – أتآلف

a. لماذا .... أنتِ دائماً؟

b. علي مريض ولكنّه ....

c. لا .... مع والديّ زوجتي.

d. .... ممتلكات شركتي تدريجيّاً.

e. نوّاب المعارضة .... ضدّ الحكومة.

CHAPITRE 8 : LA DÉRIVATION VI

À la dérivation VI, les verbes assimilés et concaves ne présentent aucun problème car ils maintiennent les semi-voyelles و et ي en position initiale et médiane.

9 Identifiez les verbes à la dérivation VI dans ces phrases et créez les verbes de base à l'accompli.

a. تواجد ← هل تتواجد كثيراً هنا؟

b. .... ← تتقاضى أختي في هذه الشّركة مرتّباً جيداً.

c. .... ← نتناول فقط فواكه في المساء.

d. .... ← لا تتوافق هذه الألوان مع معطفكَ.

e. .... ← تضايقنا مِن أطفال الجيران قليلاً.

f. .... ← البلدان تعاونا في التّجارة الخارجيّة.

g. .... ← كيف تتفاوت الفصحى والعاميّة؟

10 Trouvez les verbes de base à l'accompli de l'exercice précédent dans cette grille.

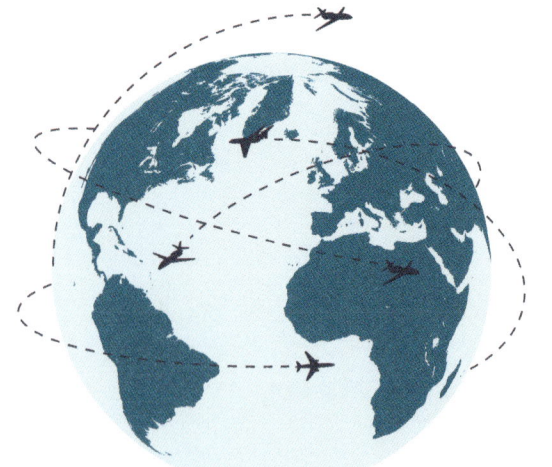

ض	ى	ت	ع	ن	ك	ت
ء	غ	ق	ف	ج	ص	ف
ت	و	ا	ج	د	ث	ا
ع	ل	ض	ث	ل	ا	و
ا	ه	ى	ؤ	ذ	ء	ت
و	ب	ة	لآ	ظ	ت	س
ن	ا	ت	ن	ا	و	ل
ط	ؤ	ش	ض	ث	ا	ة
غ	ج	ف	ع	ل	ف	ط
ن	ذ	س	ك	ى	ق	ي
ت	ض	ا	ي	ق	ر	ث

CHAPITRE 8 : LA DÉRIVATION VI

Banque de mots

تناول	prendre, saisir		تآلف	être en harmonie
تواجد	se trouver		تشاءم	être pessimiste
توافق	s'accorder, être harmonieux		تضاءل	diminuer, se réduire
العاميّة	la langue parlée, le dialecte		تضايق	mal supporter
الفصحى	l'arabe standard		تعاون	s'aider, collaborer
لون / ألوان	couleur		تفاءل	être optimiste
مرتّب	salaire		تفاوت	différer, varier
معطف	manteau		تقاضى	gagner, percevoir (une somme d'argent)

مبروك! (Félicitations !) Vous êtes venu(e) à bout du chapitre 8 ! Il est maintenant temps de comptabiliser les icônes et de reporter le résultat en page 128 pour l'évaluation finale.

9
La dérivation VII

La dérivation VII est caractérisée par le préfixe اِنْـ. Le schéma vocalique est **fatha-fatha-fatha** à l'accompli et **fatha-fatha-kasra-damma** à l'inaccompli : اِنْفَعَلَ، يَنْفَعِلُ. Cette forme est toujours intransitive.

La dérivation VII représente souvent le réfléchi de la forme de base, comme pour كَسَرَ (*casser*) et اِنْكَسَرَ (*se casser*), mais elle a encore plus souvent le sens d'un passif : comparez قَطَعَ (*couper*) et اِنْقَطَعَ (*être coupé*).

1 Créez la dérivation VII sur le modèle اِنْفَعَلَ، يَنْفَعِلُ en partant de ces racines verbales.

a. ق – س – م ← ....
b. ع – ك – س ← ....
c. س – ح – ب ← ....
d. ف – ج – ر ← ....
e. ب – س – ط ← ....
f. ك – س – ر ← ....

2 Complétez le tableau suivant avec les formes correctes de l'accompli et de l'inaccompli du verbe انصرف.

	accompli	inaccompli
أنا		
أنتَ		
أنتِ		
هو	اِنْصَرَفَ	يَنْصَرِفُ
هي		
نحن		
أنتم		
أنتنّ		
هم		
هنّ		

CHAPITRE 9 : LA DÉRIVATION VII

3 Vocalisez ces formes verbales — toutes à la dérivation VII — et déterminez le pronom adéquat.

a. ينكسر ← ....
b. انسحبنا ← ....
c. أنقسم ← ....
d. انعكستْ ← ....
e. تنفجرون ← ....
f. انعقدتَ ← ....
g. تنبسطين ← ....
h. انقطعتما ← ....

Banque de mots

انبسط	devenir content, être content
انسحب	se rétracter
انصرف	s'en aller, partir
انعقد	se tenir (réunion/congrès…)
انعكس	se refléter
انفجر	éclater, exploser
انقسم	se diviser

4 Trouvez dans ces phrases les verbes dérivés et encerclez-les.

a. متى ينطلق القطار التّالي باتجاه الرّباط؟
b. انظر! انعكس ضوء الشّمس بالمرآة.
c. انفجرتُ ضحكاً عندما قرأت عنوان كتابكَ.
d. يبدو أنّ الأصدقاء انقسموا بين مؤيد ومعارض.
e. انكسر فرع الشّجرة في العاصفة الشّديدة.
f. اندمجنا في حياتنا الجديدة في الرّيف بسهولة.

5 Trouvez pour chaque verbe de l'exercice précédent la racine et le pronom personnel corrects.

		Pronom personnel	Racine	
	d.			a.
	e.			b.
	f.			c.

59

CHAPITRE 9 : LA DÉRIVATION VII

 Mettez les verbes à la dérivation VII selon la racine et le pronom personnel entre parenthèses, à l'accompli.

a. .... (خرط، نحن) في جدل عنيف عن كرة القدم.

b. أمس اللّيل .... (زلق، أنا) على الجليد وسقطتُ.

c. .... (قلب، هو) الجمل و .... (كسر، هو) ساقه.

d. .... (زلق، هي) شاحنة ضخمة على طريق صحراويّ.

e. طالبان .... (فصل، هما) عن باقي المجموعة.

f. بسبب العاصفة .... (قطع، هو) التّيار الكهربائيّ في بيتنا!

Banque de mots

جمل	chameau
ريف	campagne
ساق	jambe
شاحنة	camion
شديد	sévère, fort
صحراويّ	désertique
ضحك	rire
ضوء	lumière
عاصفة	tempête, orage
عندما	pendant
عنوان	(ici :) titre (d'un livre)
عنيف	sévère, violent
اللّيل	la nuit
مجموعة	groupe
مرآة	miroir
معارض	opposant
مؤيد	supporter

انخرط	s'intégrer, entrer
اندمج	s'allier, s'intégrer
انزلق	déraper, glisser
انطلق	partir, démarrer
انفصل	se séparer
انقلب	se renverser
باتجاه	en direction (de)
باقٍ	qui reste
بسهولة	facilement
تيّار كهربائيّ	courant électrique
جدل	argument, discussion
جليد	glace, verglas

CHAPITRE 9 : LA DÉRIVATION VII

Parmi les verbes hamzés, il n'y a en réalité que اِنْطَفَأَ، يَنْطَفِئُ (*s'éteindre*) qui est largement utilisé. En ce qui concerne les verbes concaves, l'**alif** est maintenu à l'accompli ainsi qu'à l'inaccompli. Les verbes défectueux se terminent en ـى à l'accompli et en ـي à l'inaccompli.

 Observez ces trois phrases et conjuguez le verbe à l'accompli et à l'inaccompli.

b. تَنْحازينَ دائماً إلى أقربائكِ.

	accompli	inaccompli
أنا		
أنتَ		
أنتِ		تَنْحازينَ
هو		
هي		
نحن		
أنتم		
هم		

a. اِنْطَفَأَتْ النّار بعد ساعتين.

	accompli	inaccompli
أنا		
أنتَ		
أنتِ		
هو		
هي	اِنْطَفَأَتْ	
نحن		
أنتم		
هم		

c. متى تَنْقَضِي تأشيرة دخولنا؟

	accompli	inaccompli
أنا		
أنتَ		
أنتِ		
هو		
هي		تَنْقَضِي
نحن		
أنتم		
هم		

CHAPITRE 9 : LA DÉRIVATION VII

8 Trouvez les racines de ces verbes qui sont concaves ou défectueux et créez l'accompli et l'inaccompli à la troisième personne du singulier masculin.

a. ينبغي أنْ تتعلّم جميع المفردات عن ظهر القلب.
b. بسبب فيضان شديد انهار الجسر الكبير على النّهر.
c. في الخريف تنطوي الأزهار والأوراق.

Déclinaison du verbe	Racine	
		a.
		b.
		c.

Banque de mots

انبغى	falloir
انحاز	prendre parti
انطوى	se replier
انقضى	expirer, prendre fin
انهار	s'écrouler
تأشيرة الدّخول	visa
جسر	pont
خريف	automne
فيضان	inondation
مفردات	(ici :) vocabulaire
نار	feu
ورقة / أوراق	feuille

مبروك! (Félicitations !) Vous êtes venu(e) à bout du chapitre 9 ! Il est maintenant temps de comptabiliser les icônes et de reporter le résultat en page 128 pour l'évaluation finale.

La dérivation VIII

La dérivation VIII se rencontre souvent ! Elle est caractérisée par le préfixe ﺍ ainsi que l'ajout de l'infixe ـتـ après la première lettre de la racine. Le schéma vocalique est **fatha-fatha-fatha** à l'accompli et **fatha-fatha-kasra-damma** à l'inaccompli : اِفْتَعَلَ، يَفْتَعِلُ. Cette forme peut avoir une valeur transitive ou intransitive.

La dérivation VIII représente généralement le réfléchi de la forme de base, comme pour جَمَعَ (*réunir*) et اِجْتَمَعَ (*se réunir*), mais elle peut aussi exprimer un effort fait par le sujet pour son profit : comparez قَرُبَ (*être proche*) et اِقْتَرَبَ (*s'approcher*). Pourtant, beaucoup de verbes de la dérivation VIII n'ont pas de liaison claire et visible avec leur racine – parmi ceux-ci, quelques-uns sont largement utilisés.

1 Ces 8 verbes sont dérivés des racines entre parenthèses. Retrouvez-les à la dérivation VIII à l'accompli de la troisième personne du singulier masculin dans la grille ci-après.

croire, penser (ع – ق – د)
se propager (ل – ق – ن)
respecter (م – ر – ح)
attendre (ر – ظ – ن)
avouer, reconnaître (ع – ر – ف)
proposer (ق – ر – ح)
fonctionner (ش – غ – ل)

ء	ذ	ر	ظ	ت	ن	ا
ا	ج	آ	ه	ن	م	وُ
ح	ر	ت	ق	ا	ى	غ
ت	لأ	غ	وُ	ع	و	ج
ر	ئ	ف	ر	ت	ع	ا
م	ا	ى	ث	ق	ظ	ب
ض	ن	ك	د	ة	لا	ه
غ	ت	ه	م	ض	ء	آ
وُ	ق	ب	ئ	ج	ذ	ض
آ	ل	غ	ت	ش	ا	ذ

CHAPITRE 10 : LA DÉRIVATION VIII

2 Mettez la forme correcte à l'accompli.

a. (أنا) .... اعتقل   d. (هنّ) .... احتدم

b. (هو) .... اشتعل   e. (أنتما) .... احترم

c. (أنتم) .... افترق   f. (نحن) .... امتعض

3 Créez la dérivation VIII des racines suivantes à la personne donnée entre parenthèses, à l'inaccompli.

a. (أنتِ) .... س – ل – م

b. (هما) .... ع – ب – ر

c. (أنتما) .... ع – ذ – ر

d. (أنتَ) .... ف – ق – ر

e. (هي) .... خ – ل – ف

f. (هم) .... ق – ص – ر

Banque de mots

استلم	recevoir	احتدم	s'enflammer, être vif
اشتعل	brûler	احترم	respecter
اعتبر	considérer	اختلف	être différent
اعتذر	s'excuser		
اعتقل	arrêter (quelqu'un)		
افترق	se séparer		
افتقر	s'appauvrir		
اقتصر (على)	se limiter à		
امتعض	se vexer, s'irriter		

CHAPITRE 10 : LA DÉRIVATION VIII

 Complétez le tableau suivant en y plaçant les formes de la liste ci-après. Tous les verbes sont à l'accompli.

	ابتسم	اعتقد	انتظر
أنا		اعتقدتُ	
			انتظرتَ
أنتِ	ابتسمتِ		
هو	ابتسم		انتظر
		اعتقدتْ	
	ابتسمنا		انتظرنا
أنتم		اعتقدتم	
	ابتسموا		
هنّ	ابتسمنَ		

- a. ابتسمتُ
- b. نحن
- c. انتظرتُ
- d. اعتقدتَ
- e. انتظروا
- f. اعتقدنا
- g. ابتسمتْ
- h. انتظرنَ
- i. هم
- j. اعتقد
- k. اعتقدتِ
- l. أنتَ
- m. انتظرتِ
- n. هي
- o. انتظرتْ
- p. اعتقدنَ
- q. ابتسمتَ
- r. انتظرتم
- s. اعتقدوا
- t. ابتسمتم

 Trouvez les formes des verbes suivants à l'inaccompli.

	التحق	امتنع	انتشر
أنتَ			
أنتَ			
أنتِ			
هو			
هي			
نحن			
أنتم			
هم			
هنّ			
أنتما			
هما			

65

CHAPITRE 10 : LA DÉRIVATION VIII

6 Identifiez dans ces petits dialogues les verbes à la dérivation VIII en les encerclant.

a. هل هي بنت أحمد؟ — نعم، أعتقد ذلك.

b. هل استلمتَ رسالتي؟ — لا، ما استلمتُها. متى أرسلتَها؟

c. قد وصلتَ؟ — نعم، أنا أنتظر منذ عشر دقائق.

d. أهذا ما اعترف به لكم؟ — نعم، ولكن الواقع لم يكن كذلك.

e. هل كان كلّ شيء على ما يرام في الغرفة؟ — لا، ما اشتغل التّلفزيون.

f. السّوق قريب، صحيح؟ — نعم، نقترح عليكم السّير على الأقدام.

g. هل أنتَ تأخّرتَ؟ — الأفضل أنْ تلتحقَ بالمجموعة الثّانية!

h. هل تعرفونَ مترجماً جيّداً؟ — نعم، نعتبره جيّداً للغاية.

Banque de mots

أ	Est-ce que … ?
اعترف	reconnaître, avouer
الأفضل أنْ …	Le mieux serait …
اقترح	proposer
امتنع عن	s'abstenir
انتشر	se répandre
التحق بـ	rejoindre
التّلفزيون	téléviseur
قدم / أقدام	pied
قريب	proche, près de
للغاية	très, extrêmement
مترجم	interprète, traducteur
سير	(le fait d') aller
واقع	réalité

7 Trouvez pour chaque verbe la racine, le pronom personnel et la forme (c'est-à-dire accompli ou inaccompli) corrects.

Forme	Pronom personnel	Racine	
inaccompli	أنا	ع – ق – د	a.
			b.
			c.
			d.
			e.
			f.
			g.
			h.

CHAPITRE 10 : LA DÉRIVATION VIII

 Placez les verbes de la liste suivante dans les bonnes phrases.

ينتظرونَ – تبتسم – اعتقلت – يعترف – أعتقد – يرتجف

a. مَن هذه المرأة الشّقراء الّتي .... لنا؟

b. .... أنها صديقة للسّيدة زينب.

c. ....، يا إلهي، كلّ جسمي!

d. أطفالي .... في المدرسة. عليّ أن أذهبَ الآن.

e. .... الشّرطة اللّصوص الّذينَ هاجموا البنك.

f. كان عليه أنْ .... بأنّه كان مخطئاً.

> Les verbes hamzés à la dérivation présentent des formes différentes à l'accompli et à l'inaccompli. Le **hamza** peut être placé sur l'**alif** (أ) ou sur le **yâ'** (ئ).

9 **Trouvez les paires entre les formes de l'accompli et de l'inaccompli, en identifiant les racines.**

a. ائتمن • • 1. يلتئم
b. التأم • • 2. يمتلئ
c. ابتدأ • • 3. يأتلف
d. ائتلف • • 4. يأتمن
e. امتلأ • • 5. يبتدئ

Banque de mots

التأم	se cicatriser		ابتدأ	commencer
جسم	corps		ارتجف	trembler, frissonner
لصّ / لصوص	voleur, brigand		أشقر / شقراء	blond
مخطئ	ayant tort		امتلأ	se remplir
هاجم	attaquer		ائتلف	s'unir, se coaliser
يا إلهي!	Mon Dieu !		ائتمن	avoir confiance

CHAPITRE 10 : LA DÉRIVATION VIII

10. Le verbe le plus commun parmi ce groupe est ابتدأ، يبتدئ (*commencer*). Conjuguez-le à l'accompli et à l'inaccompli.

inaccompli	accompli	
		أنا
		أنتَ
		أنتِ
		هو
		هي
		نحن
		أنتم
		هم

Les verbes assimilés à la dérivation VIII se distinguent de toutes les autres dérivations, car ils transforment le و ou ي initial de la racine en ت, ce qui fait que le ـتـ ajouté est redoublé. Pour les verbes concaves, le ا médian est stable à l'accompli ainsi qu'à l'inaccompli ; pour les verbes défectueux, on constate la transformation du ـى final à l'accompli en ـي à l'inaccompli.

11. Créez la dérivation VIII des racines suivantes en utilisant le modèle افتعل، يفتعل.

a. د – ح – و ←..
b. ع – س – و ←..
c. ه – ج – و ←..
d. م – ه – و ←..

CHAPITRE 10 : LA DÉRIVATION VIII

12. Parmi les verbes concaves, on trouve احتاج، يحتاج إلى, qui a le sens de *avoir besoin de*, et اختار، يختار qui signifie *choisir*. Traduisez en arabe et liez ensuite avec la phrase correcte.

Mon oncle (maternel) a besoin d'un verre de cognac.	1 •	• a	أنا أحتاج إلى شغل جيّد ومشوّق بشكل عاجل.
Il faut que tu (m.) choisisses une des chemises.	2 •	• b	هم يعتقدونَ أني ما يحتاجون إليه بالضّبط.
Nous avons toujours choisi nos amis avec soin.	3 •	• c	عليكَ أنْ تختار واحداً مِن القمصان.
J'ai besoin d'un bon et intéressant travail de façon urgente.	4 •	• d	خالي يحتاج إلى قدح مِن الكونياك.
Il paraît qu'elle n'a pas choisi entre lui et moi de façon définitive.	5 •	• e	يبدو أنّها لم تختر بيني وبينه بشكل نهائيّ.
Ils croient que je suis exactement ce dont ils ont besoin.	6 •	• f	اخترنا أصدقاءنا دائماً بعناية.

Banque de mots

اتّجه	se diriger
اتّحد	s'unifier
اتّسع	contenir, renfermer, s'étendre, s'élargir
اتّهم	accuser
بعناية	avec soin
عاجل	urgent
كونياك	cognac
نهائيّ	définitif

CHAPITRE 10 : LA DÉRIVATION VIII

13 Transformez ces phrases (qui sont à l'accompli) à l'inaccompli.

a. أحمد وسميرة اشتريا الهدايا لابنتهما الصّغيرة.

← ....

b. اكتفَيتُ بغرفة بدون أيّة رفاهية.

← ....

c. التقينا أمام السّينما لمشاهدة فيلم مصريّ.

← ....

d. انتهَتْ المباراة بين الفريقين في الملعب الوطنيّ.

← ....

e. احتوى قصر الملك مئة غرفة.

← ....

f. أكل الضّيوف طبق الحلويّات واشتهوا طبقاً ثانياً.

← ....

14 Trouvez la phrase adéquate pour chaque dessin.

Lorsque les deuxième et troisième consonnes de la racine sont identiques, la dérivation VIII suit le schéma du verbe بـ اهتمّ — يهتمّ — اهتمّ qui a le sens de *s'intéresser à, faire attention à*.

a. نهتمّ بالنّقود.
b. هم يهتمّون بكرة القدم.
c. لماذا ما اهتمّتا بالشّمس؟
d. ما اهتمّتْ منيرة بالحريرات.
e. يهتمّ علي بكرة الطّاولة وبالتّنس.

CHAPITRE 10 : LA DÉRIVATION VIII

Banque de mots

التقى	se rencontrer, se retrouver	احتوى	comprendre, contenir
حريرات	calories	اشترى	acheter
رفاهية	confort	اشتهى	avoir envie
طبق	assiette, plat	اكتفى	se contenter
فريق	équipe	انتهى	finir, s'achever, se terminer
فيلم	film		
كرة الطّاولة	ping-pong		
ملعب	stade		
ملك	roi		
مباراة	match		
مشاهدة	(le fait de) regarder		
مئة	cent		
هديّة / هدايا	cadeau		

Pour la dérivation VIII, il existe aussi des modifications dues au تـ ajouté. Lorsque la première lettre de la racine est ط، ذ، د، ث، ت ou ظ, le تـ ajouté est assimilé par cette lettre et sera par conséquent redoublé. La racine تفق devient donc اتّفق، يتّفق à la dérivation VIII.

15 Créez la dérivation VIII des racines suivantes à la personne donnée entre parenthèses, à l'accompli et à l'inaccompli.

a. (أنا) .... ت – خ – ذ

b. (هم) .... ت – ص – ل

c. (هو) .... ت – ب – ع

d. (نحن) .... ت – س – م

e. (أنتَ) .... د – خ – ر

f. (هي) .... د – ع – ى

g. (أنتِ) .... ط – ل – ع

CHAPITRE 10 : LA DÉRIVATION VIII

Lorsque la première lettre de la racine est ص ou ض, le ت ajouté se transforme en ط ; lorsque la première lettre est un ز, le ت devient un د.

16. Savez-vous comment créer la dérivation VIII des racines suivantes ? Utilisez le modèle افتعل، يفتعل. **Attention pour b et d !**

a. ص – د – م ← ....
b. ص – ا – د ← ....
c. ض – ر – ب ← ....
d. ض – ر – ر ← ....
e. ز – ح – م ← ....
f. ز – ه – ر ← ....

Banque de mots

ازدحم	se serrer, se bousculer	اتّبع	suivre
ازدهر	prospérer	اتّخذ	prendre, adopter
اصطاد	chasser, pêcher	اتّسم	se caractériser
اصطدم	heurter	اتّصل	appeler, prendre contact
اضطرّ	être contraint à	اتّفق	se mettre d'accord, arriver par hasard
اضطرب	se troubler, s'agiter, se détraquer	ادّخر	économiser
اطّلع	prendre connaissance, prendre note	ادّعى	prétendre, feindre

مبروك! (Félicitations !) Vous êtes venu(e) à bout du chapitre 10 ! Il est maintenant temps de comptabiliser les icônes et de reporter le résultat en page 128 pour l'évaluation finale.

La dérivation IX

La dérivation IX est formée par un redoublement de la troisième consonne et en appliquant des schémas vocaliques **kasra-fatha-fatha** à l'accompli et **fatha-fatha-damma** à l'inaccompli. Cette dérivation est d'un usage très limité – on ne compte que neuf verbes courants de ce groupe – car elle ne se forme qu'à partir d'adjectifs du type أَفْعَل : le verbe exemplaire فَعَلَ devient donc اِفْعَلَّ à l'accompli et يَفْعَلُّ à l'inaccompli.

Dans la plupart des cas, la dérivation IX a le sens de *être* ou *devenir* avec une couleur ou un adjectif qui décrit une difformité : comparez أَحْمَر (*rouge*) et اِحْمَرَّ، يَحْمَرُّ (*rougir, devenir rouge*). Lorsque l'adjectif de base se compose d'un و ou ي, celui-ci est maintenu tel quel dans la dérivation verbale.

❶ Complétez le tableau suivant.

		اِعْوَجَّ		اِبْتَلَّ	
	inaccompli	accompli	inaccompli	accompli	
					أنا
					أنتَ
					أنتِ
					هو
					هي
					نحن
					أنتم
					هم

CHAPITRE 11 : LA DÉRIVATION IX

2 Dérivez les verbes de la forme IX des adjectifs de couleur.

Exemple : اِحْمَرَّ، يَحْمَرُّ ← أَحْمَر

a. أصفر ← ....
b. أبيض ← ....
c. أزرق ← ....
d. أخضر ← ....
e. أسود ← ....

3 Complétez les phrases avec la forme correcte du verbe. En cas de doute, décidez selon la couleur logique.

يخضرّ – اسودّ – ابيضّ – احمرّ – تصفرّ – ازرقّت

a. .... وجهنا مِن الخوف عندما رأينا شبحاً.
b. أنتَ .... دائماً على متن الطّائرة.
c. لماذا .... أنفي عند أكل غزل البنات؟
d. انظر يا محمّد! .... السّماء بعد المطر.
e. لمّا عملتُ في منجم الفحم .... وجهي كلّ يوم.
f. إذا سقيت العشب بشكل منتظم، سوف ....

4 Ces phrases sont à l'accompli : mettez-les à l'inaccompli.

a. اِصْفررتُ بعد أكل السّمك.
← ....

b. اِحْمرّ النّهر بسبب الحديد فيه.
← ....

c. أين المظلّة؟ اِبتللنا بالكلّيّة!
← ....

CHAPITRE 11 : LA DÉRIVATION IX

d. الشّجرة اعْوجّت بعد وقت طويل.

← ....

e. اِسْودّت غرفتنا بسبب قطع الكهرباء.

← ....

f. اِحْولّت عينا جاري بشكل شديد بدون نظارته.

← ....

Banque de mots

arroser	سقى	devenir mouillé, se mouiller	ابتلّ
ciel	سماء	blanchir, devenir blanc	ابيضّ
fantôme	شبح	loucher	احولّ
herbe	عشب	verdir, verdoyer, devenir vert	اخضرّ
à bord	على متن	bleuir, devenir bleu	ازرقّ
barbe à papa	غزل البنات	noircir, devenir noir	اسودّ
charbon	فحم	jaunir, devenir jaune, pâlir, devenir pâle	اصفرّ
panne d'électricité	قطع الكهرباء	être tordu, se tordre	اعوجّ
parapluie	مظلّة	(le fait de) manger	أكل
régulier	منتظم	nez	أنف
mine	منجم	complètement	بالكلّيّة
lunettes	نظارة	vin	خمر
visage	وجه	peur, crainte	خوف

مبروك! (Félicitations !) Vous êtes venu(e) à bout du chapitre 11 ! Il est maintenant temps de comptabiliser les icônes et de reporter le résultat en page 128 pour l'évaluation finale.

12. La dérivation X

La dérivation X est très usitée ! Elle est caractérisée par le préfixe اِسْتَ ainsi que le schéma vocalique **kasra-fatha-fatha-fatha** à l'accompli et **fatha-fatha-kasra-damma** à l'inaccompli : اِسْتَفْعَلَ، يَسْتَفْعِلُ.

Cette forme représente généralement le réfléchi ou le passif de la dérivation IV, comme pour أَخْبَرَ (*informer*) et اِسْتَخْبَرَ (*s'informer, se renseigner*), mais elle peut aussi exprimer beaucoup d'autres idées, souvent avec la notion de *demander*, *juger* ou *rechercher*.

1 Complétez le tableau suivant avec les formes verbales de l'accompli et de l'inaccompli du modèle ف – ع – ل.

inaccompli	accompli	
		أنا
		أنتَ
		أنتِ
يَسْتَفْعِلُ	اِسْتَفْعَلَ	هو
		هي
		نحن
		أنتم
		أنتنّ
		هم
		هنّ

CHAPITRE 12 : LA DÉRIVATION X

2 Mettez les formes correctes à l'accompli et à l'inaccompli.

a. (أنتِ) .... / .... استقبل
b. (هما) .... / .... استعلم
c. (أنتما) .... / .... استحسن
d. (أنا) .... / .... استكبر
e. (هي) .... / .... استعطف
f. (نحن) .... / .... استخدم
g. (أنتَ) .... / .... استهدف
h. (أنتنّ) .... / .... استطلع

3 Ajoutez le pronom personnel correct. (Pour g, deux solutions sont possibles.)

a. .... استعلمتَ
b. .... يستقبلنَ
c. .... تستخدمونَ
d. .... استخرجتنّ
e. .... أستمتع
f. .... استثمرنا
g. .... / .... تستكبر

Banque de mots

استعطف	supplier	استثمر	investir
استعلم	se renseigner	استحسن	apprécier, approuver
استكبر	être arrogant	استخدم	utiliser
استقبل	recevoir, accueillir	استخرج	extraire
استهدف	viser	استطلع	consulter

CHAPITRE 12 : LA DÉRIVATION X

4 Reliez les phrases suivantes avec les racines des verbes qui apparaissent à la dérivation X.

- a. تأخّرنا... يجب أنْ نستعجل.
- b. كم وقتاً تستغرق الرّحلة؟
- c. لا أستحمل هذه الرّائحة.
- d. هل استعمتما الكباب؟
- e. استضعفتَ خصمكَ في لَعْب الشّطرنج.
- f. الجميع يستمتع جيّداً في حفلة عيد ميلادي.

- 1. ع – ت – م
- 2. م – ع – ط
- 3. ف – ع – ض
- 4. ل – ج – ع
- 5. ق – ر – غ
- 6. ل – م – ح

5 Identifiez, dans ces phrases, les verbes dérivés et notez la racine.

- a. لم أفهمْ لماذا يستكبر حميد علينا. ← ....
- b. هل استكملوا دراستهم الجامعيّة؟ ← ....
- c. مَن استكشف القطب الجنوبيّ؟ ← ....
- d. علينا أنْ نستحدث تقنيّة المعلومات في المكتب. ← ....
- e. الأفضل أنْ تسترشدي بنصائح والدتكِ. ← ....

6 Mettez les verbes à la dérivation X selon la racine et le pronom personnel entre parenthèses, à l'inaccompli.

- a. يجب أنْ .... (بدل، نحن) محاسب شركتنا.
- b. .... (حضر، هي) الشّركة أدوية فعّالة.
- c. كيف .... (فهم، أنتِ) عن سبب المجاعة؟
- d. أوصيكم أن .... (ذكر، أنتم) دروسكم.
- e. عليكما أن .... (نجد، أنتما) برجال الإطفاء.
- f. لماذا .... (هلك، أنتَ) دائماً كلّ النّقود؟

CHAPITRE 12 : LA DÉRIVATION X

Banque de mots

إطفاء	les pompiers		استبدل	remplacer
أوصى	recommander		استحدث	moderniser
تقنيّة	technologie		استحضر	produire, préparer
جامعيّ	universitaire		استحمل	endurer, supporter
خصم	adversaire		استذكر	mémoriser, réviser
دواء / أدوية	médicament		استرشد	suivre un conseil
رائحة	odeur		استضعف	sous-estimer
عيد ميلاد	anniversaire		استطعم	goûter
فعّال	énergique, actif		استعجل	se hâter, se dépêcher
القطب الجنوبيّ	le pôle Sud		استغرق	durer
كباب	kebab		استفهم	interroger, s'informer
لَعْب الشّطرنج	échecs		استكشف	explorer
مجاعة	famine		استكمل	achever, accomplir
محاسب	comptable		استمتع	se réjouir, prendre plaisir
معلومات	informations (pluriel)		استنجد	demander de l'aide
نصح / نصائح	conseil		استهلك	gaspiller

Les verbes hamzés à la dérivation X ne présentent pas de difficultés, car le **hamza** est toujours placé sur l'**alif** (أ) et retient celui-ci à l'accompli ainsi qu'à l'inaccompli. Dans la plupart des cas, أ est au début de la racine, mais quand il est à la fin, le verbe se comporte comme قرأ (*lire*).

7 Trouvez les verbes hamzés et identifiez les racines.

a. استأجرنا شقّة جديدة في وسط المدينة. ← ....

b. عليكَ أنْ تستأذنّ مِن الأستاذ. ← ....

c. استأصل هاشم الشّجرة بيديه فقط. ← ....

d. هل تريدين أنْ تستأمنيه على أموالكِ؟ ← ....

e. صحيح أنّ كلّ الزّملاء يستهزؤونَ بكَ؟ ← ....

CHAPITRE 12 : LA DÉRIVATION X

 8 Ajoutez les formes manquantes des verbes de l'exercice précédent à l'accompli et à l'inaccompli.

		L'accompli		
				أنا
				أنتَ
				أنتِ
	استأصل			هو
				هي
		استأجرنا		نحن
				أنتم
				هم

		L'inaccompli		
				أنا
		تستأذن		أنتَ
تستأمنين				أنتِ
				هو
				هي
				نحن
				أنتم
يستهزئون				هم

Banque de mots

استهزأ	se moquer		استأجر	louer
أموال	argent		استأذن	demander la permission
هاشم	Hashim		استأصل	déraciner, arracher, extraire
			استأمن	confier

CHAPITRE 12 : LA DÉRIVATION X

La dérivation X possède une quantité raisonnable de verbes dont la deuxième consonne est redoublée. Ce groupe se comporte de la même manière que les verbes de base comme ردَّ (*répondre*), c'est-à-dire qu'à l'accompli, la deuxième et la troisième consonnes sont contractées sous une **chadda** à la troisième personne du singulier et du duel, ainsi qu'au pluriel masculin. À l'inaccompli, la consonne redoublée se dédouble en deux consonnes séparées aux deuxième et troisième personnes du féminin pluriel.

9 Complétez le tableau suivant avec les formes correctes de l'accompli et de l'inaccompli du verbe استحمّ (*se baigner, se laver*).

inaccompli	accompli	
		أنا
		أنتَ
		أنتِ
		هو
		هي
		نحن
		أنتم
		أنتنّ
		هم
		هنّ

10 Vocalisez ces formes verbales — toutes à la dérivation X — et déterminez le pronom adéquat.

a. استحققتِ ← ....

b. تستهلّونَ ← ....

c. أستغلّ ← ....

d. استخففنَ ← ....

e. استفززتم ← ....

f. يستعددنَ ← ....

CHAPITRE 12 : LA DÉRIVATION X

Créez des phrases logiques en insérant les verbes de la liste suivante à la place adéquate.

نستجمّ – تستقلّونَ – استمدّتْ – تستقرّ – استقلّ – يستمرّ

a. .... الباص وتعودون إلى البيت.

b. .... مهرجان الأفلام حوالي الأسبوعين.

c. هل تعلمين في أيّة سنّة .... بلدنا؟

d. أين يُمْكِنُنا أنْ .... قليلاً هنا؟

e. .... آراءها مِن كتب ابن رشد.

f. نأمل أنْ .... الحالة قريباً.

Banque de mots

استهلّ	commencer, débuter
حوالي	à peu près
رأي / آراء	opinion
مهرجان	festival

ابن رشد	Averroès (philosophe arabe)
استجمّ	se relaxer, se reposer
استحقّ	mériter, échoir
استحمّ	se baigner, se laver
استخفّ	dédaigner, mépriser
استعدّ	se préparer
استغلّ	abuser, exploiter
استفزّ	provoquer, inciter
استقرّ	se calmer, se stabiliser
استقلّ	accéder à l'indépendance, voyager en
استمدّ	tirer, prendre
استمرّ	continuer, poursuivre

Comme pour beaucoup d'autres dérivations, les verbes assimilés maintiennent les semi-voyelles و et ي en position initiale à l'accompli et à l'inaccompli. Les verbes concaves substituent le ا en position médiane à l'accompli par ي à l'inaccompli. Les verbes défectueux changent le ى final à l'accompli en ي à l'inaccompli.

CHAPITRE 12 : LA DÉRIVATION X

12. Créez des verbes à la dérivation X sur les schémas اِسْتَفْعَلَ et يَسْتَفْعِلُ en partant de ces racines de verbes assimilés.

a. و – ج – ب ←..........................

b. و – ر – د ←..........................

c. و – ض – ح ←..........................

d. و – ط – ن ←..........................

e. و – ع – ب ←..........................

f. و – ق – ف ←..........................

13. La dérivation X connaît aussi un verbe assimilé avec ي en position initiale de la racine : اَسْتَيْقَظَ، يَسْتَيْقِظُ (*se réveiller*). Conjuguez-le à l'accompli et à l'inaccompli.

	inaccompli	accompli
أنا		
أنتَ		
أنتِ		
هو	يستيقظ	استيقَظ
هي		
نحن		
أنتم		
أنتنّ		
هم		
هنّ		

CHAPITRE 12 : LA DÉRIVATION X

14. Transformez ces phrases (à l'accompli) en inaccompli. Tous les verbes sont concaves.

a. أين استضفتَ صديقكَ؟

← ....

b. استشرتم محامٍ معروفاً.

← ....

c. استجارت القطّة بعيداً عن الكلب.

← ....

d. استعرتُ قلم فاطمة.

← ....

e. استفدنا مِن دروس البيانو.

← ....

f. لماذا استهنتِ بالرّجل السّمين.

← ....

Banque de mots

استوعب	contenir, renfermer	استجار	se réfugier
استوقف	arrêter	استشار	consulter
بيانو	piano	استضاف	héberger
سمين	gros	استعار	emprunter
		استفاد	profiter, tirer profit, bénéficier
		استهان	sous-estimer
		استوجب	mériter
		استورد	importer
		استوضح	éclaircir
		استوطن	s'installer, coloniser

CHAPITRE 12 : LA DÉRIVATION X

15. Parmi les verbes concaves les plus courants se trouve استطاع (*pouvoir*). Trouvez la forme correcte du verbe.

a. هل .... المحادثة مع المدير العام، يا ليلى؟
   1. استطعتَ
   2. استطاعتْ
   3. استطعتِ

b. المصعد معطّل اليوم. هل .... صعود الدّرج؟
   1. استطعتم
   2. يستطِعْ
   3. نستطيعَ

c. أين .... هناك شِراء السّمك مِن أجل مساء اليوم؟
   1. أستطِعْ
   2. تستطيعي
   3. تستطيعينَ

d. يلعب الأطفال في الخارج كي .... أمّهم النّوم بهدوء.
   1. تستطيعَ
   2. تستطيعُ
   3. تستطِعْ

e. أيّة ظلمة! نحن بِالكاد .... أنْ نرى الطّريق.
   1. استطاعتا
   2. نستطيعُ
   3. تستطيعونَ

f. لا تقلقي! .... تزويدكِ ببعض النّصائح المفيدة.
   1. أستطيعُ
   2. استطعتَ
   3. أستطيعَ

CHAPITRE 12 : LA DÉRIVATION X

16. Observez ces trois phrases et conjuguez le verbe à l'accompli et à l'inaccompli.

a. هل تستريحُ ظهر اليوم؟

	accompli	inaccompli
أنا		
أنتَ		تستريح
أنتِ		
هو		
هي		
نحن		
أنتم		
هم		

b. استفقتما في أيّة ساعة؟

	accompli	inaccompli
أنا		
أنتَ		
أنتِ		
هو		
هي		
نحن		
أنتما	استفقتما	
هما		

c. لماذا لا تستصوبُ مايا رأي والدها؟

	accompli	inaccompli
أنا		
أنتَ		
أنتِ		
هو		
هي		تستصوب
نحن		
أنتم		
هم		

17. Mettez la forme correcte de ces verbes défectueux à l'accompli.

a. (أنا) استثنى ....

b. (هو) استدعى ....

c. (أنتم) استغنى ....

d. (هنّ) استحلى ....

e. (أنتما) استعطى ....

f. (نحن) استشفى ....

CHAPITRE 12 : LA DÉRIVATION X

18 Complétez le tableau suivant avec les formes verbales correctes de l'inaccompli.

استوحى	استرضى	استجدى	
			أنا
			أنتَ
			أنتِ
			هو
			هي
			نحن
			أنتم
			أنتنّ
			هم
			هنّ

Banque de mots

بِالكاد	à peine	استثنى	exclure
تزويد	(le fait de) fournir	استراح	se reposer
درج	escalier	استجدى	mendier
شِراء	(le fait d') acheter	استحلى	aimer, trouver beau
صعود	(le fait de) monter	استدعى	convoquer
ظلمة	obscurité	استرضى	concilier
كي	pour, pour que, afin que	استشفى	chercher à guérir, se faire soigner
لا تقلقي!	Ne t'inquiète pas ! (f.)	استصوب	approuver
مصعد	ascenseur	استعطى	demander l'aumône
مفيد	utile	استغنى	se dispenser, s'enrichir
مِن أجل	pour, pour que	استفاق	s'éveiller
هدوء	silence	استوحى	s'inspirer

مبروك! (Félicitations !) Vous êtes venu(e) à bout du chapitre 12 ! Il est maintenant temps de comptabiliser les icônes et de reporter le résultat en page 128 pour l'évaluation finale.

13
Les auxiliaires modaux

Le subjonctif arabe s'emploie à peu près dans les mêmes conditions qu'en français, c'est-à-dire avec des verbes qui expriment un désir – comme وَدَّ أنْ ou أراد أنْ (*vouloir que*), حبّ أنْ (*aimer que*), تمنّى أنْ (*désirer que*), رجا أنْ (*demander que*) –, un ordre – comme أمر أنْ (*commander que*) – ou un espoir – comme أمل أنْ (*espérer que*).

Mais le subjonctif est aussi utilisé avec le verbe استطاع أنْ (*pouvoir*) et avec des tournures spécifiques comme مِن الممكن أنْ ou يمكن أنْ (*il faut que*) et على أنْ ou يجب أنْ (*il est possible que*).

1 Transformez ces verbes à l'inaccompli en phrases modales, en appliquant le subjonctif.

Exemple : يلعبُ خالد التّنس. ← يجب أنْ يلعبَ خالد التّنس.

a. عليّ أنْ ← أدرس اللّغة العربيّة. ....

b. تتمنّى فاطمة أنْ ← يسمع حسين موسيقى. ....

c. نرجو أنْ ← (هم) يقولونَ الحقيقة. ....

d. آمل أنْ ← تكتبين لي رسالة. ....

e. هل مِن الممكن أنْ ← نطبخ الكسكس اليوم. ....

f. يأمر الوالد أنْ ← الأطفال يمشونَ إلى المدرسة. ....

Banque de mots

أرى	montrer
أوّلاً	d'abord
حقيقة	vérité
سأل	demander
طريقة	méthode
نبه إلى	faire attention à
نطق	prononciation

CHAPITRE 13 : LES AUXILIAIRES MODAUX

2 Trouvez la forme correcte du verbe.

a. علينا أنْ .... أين المتحف الوطنيّ.
1. نسألُ
2. نسألَ
3. نسألْ

b. متى يمكنكَ أن .... مكتبكَ؟
1. تريني
2. ترِني
3. تروا

c. أرجوكَ أنْ .... إلى طريقة نطقكَ!
1. ينبه
2. تنبهَ
3. تنبهينَ

d. يجب أنْ .... في أوّل شارع إلى اليسار!
1. تسيرينَ
2. تسِرنَ
3. تسيرَ

e. هل مِن الممكن أنْ .... لي أين باب الخروج؟
1. تقولي
2. تقولُ
3. تقولون

f. عليّ أوّلاً أنْ .... زوجي الفستان.
1. آريَ
2. أرى
3. أرْ

3 Ajoutez les verbes qui manquent dans les phrases suivantes en piochant dans la liste ci-dessous.

يشربوا – تركنوا – تطهِيَ – آكلَ – نعلمَ – تكتبي – أسمعَ

a. هل مِن الممكن أنْ .... عنوانه، يا زهرة؟
b. أحبّ أنْ .... نقانق مع الخردل.
c. عليكَ أنْ .... الرزّ بنفسكَ.
d. لا يمكن أنْ .... الباص هنا!
e. يريد الألمان أنْ .... البيرة يوميّاً.
f. آمل أنْ .... مِنكم ردّاً قريباً.
g. يجب أنْ .... كم السّاعة الآن.

CHAPITRE 13 : LES AUXILIAIRES MODAUX

> **Remarque :** En raison de l'absence d'un infinitif en arabe, on utilise cette forme qui combine deux verbes en appliquant أنْ suivi du subjonctif là où le français emploie l'infinitif : *Je veux manger une pomme* devient donc أنا أريد أنْ آكُلَ تفاحاً (littéralement : *Je veux que je mange une pomme*).

4. Insérez les verbes adéquats dans les phrases qui correspondent.

a. عليكِ أنْ   c. أستطيع أنْ   e. ماذا تريد أنْ
b. نتمنّى أنْ   d. هل تحبّونَ أنْ   f. يأمل محمود أنْ

1. .... تشربوا الشّاي؟
2. .... يجدَ وظيفة قريباً.
3. .... تأتِي أيضاً إلى المقهى.
4. .... تفعلَ اليوم؟
5. .... يلعبَ أطفال الجيران معنا.
6. .... أردَّ غداً فقط.

5. Traduisez ces phrases en arabe en appliquant أنْ et le subjonctif.

a. Nous ne voulons pas attendre ici à l'extérieur.

b. Je ne veux pas laisser ma voiture à cet endroit.

c. Elle est fatiguée et, pour cela, elle veut rester à l'hôtel.

d. Est-ce qu'il peut essayer cette chemise ?

e. Veux-tu (f.) manger des fruits avec moi ?

f. Est-ce qu'il m'est possible d'envoyer cette lettre recommandée ?

g. Nous devons réserver deux billets pour le voyage à Kairouan.

CHAPITRE 13 : LES AUXILIAIRES MODAUX

Banque de mots

رسالة مسجّلة	lettre recommandée	أرسل	envoyer
طها	cuisiner	الألمان	les Allemands
فواكه	fruits	انتظر	attendre
في الخارج	à l'extérieur	بيرة	bière
في القريب، قريباً	bientôt	ترك	laisser, abandonner
القيروان	Kairouan	جار / جيران	voisin
كم السّاعة؟	Quelle heure est-il ?	جرّب	essayer
لذلك	pour cela	خردل	moutarde
مكان	endroit	ردّ	répondre, réponse
نقانق	saucisses (pluriel)	رزّ	riz
وظيفة	emploi		

مبروك! (Félicitations !) Vous êtes venu(e) à bout du chapitre 13 ! Il est maintenant temps de comptabiliser les icônes et de reporter le résultat en page 128 pour l'évaluation finale.

Les maṣdars (les noms d'actions)

Chaque verbe connaît, à part des conjugaisons (formes accomplie, inaccomplie, apocopée et subjonctif), un ou plusieurs noms d'actions. Il s'agit de substantifs dérivés de la racine du verbe qui retranscrivent la notion de *le fait de* ou *l'action de*. Par exemple, خَرَجَ (*sortir*) ➔ خُروج (*le fait de sortir*). Dans la traduction, les **maṣdars** peuvent correspondre à plusieurs sens, voire à un nom d'action, c'est-à-dire un substantif qui correspond à l'infinitif du verbe, par exemple « le fumer », ou un substantif normal : شَعَرَ (*sentir*) devient شُعور qui a donc le sens de *le fait de sentir*, mais aussi généralement de *sentiment*.

Pour les verbes de base, c'est-à-dire ceux sans compléments de dérivation, il y a cinq schémas principaux selon lesquels les noms d'actions – appelés مصدر **maṣdars** en arabe – sont créés : فَعَل et فِعالة، فَعال، فُعول، فَعْل. Mais ce ne sont pas les seuls schémas : on en trouve d'autres comme مَفْعِلة ou فُعْل، فَعِل، فُعْلان. Il faut par conséquent apprendre chaque **maṣdar** avec son verbe, et parfois on trouve même plusieurs **maṣdars** possibles pour un verbe.

Le **maṣdar** peut très souvent remplacer une construction verbale complexe. C'est notamment le cas pour la construction d'un verbe en combinaison avec أنْ et le subjonctif. On peut donc traduire une phrase comme *Je veux manger de la viande* par la construction verbale أنا أريد أنْ آكلَ لحماً ou en appliquant le **maṣdar** أنا أريد أكْلَ لحمٍ. Vous voyez que cette application du **maṣdar** permet d'éviter des tournures difficiles, raison pour laquelle les **maṣdars** sont très employés et rendent souvent le sens d'un infinitif français.

 **Reliez ces maṣdars courants avec les racines verbales qui correspondent.**

- a • كِتابة
- b • دُخول
- c • زِراعة
- d • خُروج
- e • مَعْرِفة
- f • سِباحة

- 1 • ز - ر - ع
- 2 • ع - ر - ف
- 3 • ك - ت - ب
- 4 • س - ب - ح
- 5 • د - خ - ل
- 6 • خ - ر - ج

CHAPITRE 14 : LES MASDARS (LES NOMS D'ACTIONS)

2. Créez des masdars de ces verbes. Vous trouverez les schémas entre parenthèses. ف – ع – ل

a. ضرب (فَعْل) ← ....
b. رجع (فُعُول) ← ....
c. لعب (فَعِل) ← ....
d. رغب (فَعْلة) ← ....
e. شرب (فُعْل) ← ....
f. رحل (فَعِيل) ← ....
g. سمع (فَعْل) ← ....
h. كذب (فِعْل) ← ....

3. Trouvez les masdars suivants dans la grille.

جلوس – دِراسة – حِكْمة – رُكوب – نَظَر – مِزاج – غُفران – مَنطِق

م	ز	ا	ج	ؤ
ت	أ	لآ	ق	ذ
غ	ف	ر	ا	ن
ء	ح	ك	ى	آ
ج	ل	و	س	ئ
ى	ه	ب	ض	ق
م	ض	ذ	س	د
ن	ظ	ر	لا	ر
ط	ت	خ	ء	ا
ق	و	ة	ش	س
ز	ح	ك	م	ة

93

CHAPITRE 14 : LES MAṢDARS (LES NOMS D'ACTIONS)

4 À quels verbes les maṣdars de l'exercice 3 appartiennent-ils ?

Banque de mots

حكم	diriger, gouverner
رحل	partir, émigrer
غفر	pardonner
كذب	mentir
مزح	plaisanter
نطق	prononcer

a. مَنطِق ← ....
b. غُفران ← ....
c. مزاح ← ....
d. نَظَر ← ....
e. رُكوب ← ....
f. حِكُمة ← ....
g. دِراسة ← ....
h. جلوس ← ....

5 Complétez les phrases suivantes en cherchant le maṣdar qui correspond à la racine entre parenthèses.

1 • الحُصول • a. أودّ .... (ع – م – ل) في دبيّ.
2 • للشُّرْب • b. هي لم يعد بإمكانها .... (ن – ز – ل) لوحدها مِن السّقف.
3 • العَمَل • c. عليّ .... (ر – ك – ض) بسرعة إلى المصرف.
4 • الذَّهاب • d. الماء في بلدنا ليس .... (ش – ر – ب).
5 • الرَّكْض • e. متى تريد .... (ذ – ه – ب) إلى مصر؟
6 • النُّزول • f. هل يمكنني .... (ح – ص – ل) على الشّهادة؟

Les verbes qui possèdent des irrégularités forment souvent des schémas de **maṣdars** différents. C'est le cas pour les verbes dont les deuxième et troisième consonnes sont identiques, mais aussi pour les verbes hamzés, assimilés, concaves et défectueux.

CHAPITRE 14 : LES MASDARS (LES NOMS D'ACTIONS)

6 Trouvez le verbe de base de ces masdars.

a. رَدّ ← ....   e. مُرور ← ....

b. وُدّ ← ....   f. أمْر ← ....

c. عَدَد ← ....   g. قِراءة ← ....

d. سَبَب ← ....   h. سؤال ← ....

7 Complétez les phrases suivantes avec les masdars manquants. Pour vous faciliter l'exercice, les racines verbales sont données entre parenthèses.

a. نحتاج إلى قاموس .... (فهم) جميع المفردات.

b. اِسمعي يا مايا! ألا تُحبّين .... (رقص)؟

c. في هذا الشّارع ممنوع .... (وقف) السّيارات!

d. أنا لا أفهم سبب .... (رفض) طلبكَ.

e. يمكنني .... (سفر) بقدر ما كان ذلك ضروريّاً.

f. أسباب الـ .... (مرض) يعرفها فقط الطّبيب.

Banque de mots

ضروريّ	nécessaire		إمكان	possibilité
فهْم	(le fait de) comprendre		بقدر ما	autant que
قِراءة	(le fait de) lire, lecture		رفض	rejeter, refuser
لوحد	(tout) seul		رفْض	rejet, refus
مرّ	passer		رقْص	(le fait de) danser
مَرَض	(le fait de) tomber malade, maladie		ركض	courir
مفردة	terme, mot		سَفَر	(le fait de) voyager, voyage
ودّ	vouloir		سقف	toit, plafond
وقوف	(le fait de) s'arrêter		شهادة	certificat, diplôme

CHAPITRE 14 : LES MASDARS (LES NOMS D'ACTIONS)

8 Reliez ces masdars avec les verbes irréguliers qui correspondent.

a. وَعْد	1. نام، ينام
b. وُصول	2. نسِي، ينسى
c. وُضوح	3. زار، يزور
d. نَوْم	4. صاح، يصيح
e. عَيْش	5. زاد، يزيد
f. كَوْن	6. طال، يطول
g. زِيَارة	7. طار، يطير
h. صِياح	8. كان، يكون
i. طُول	9. وضح، يضح
j. قِيام	10. قام، يقوم
k. نِسيان	11. عاش، يعيش
l. طَيَران	12. وصل، يصل
m. زِيادة	13. وعد، يعد

9 Identifiez les masdars dans les phrases suivantes et traduisez-les en français.

a. هل تستطيع الوقوف على الرّأس؟

← ....

b. طلبنا مِن السّائق تَرْك التّاكسي أمام الباب.

← ....

c. هل يُمْكِنُكَ القيام مِن السّرير بنفسكَ ؟

← ....

d. هل تُحبّ حُضور مؤتمر صحافيّ؟

← ....

e. ليستْ لديّ أيّ رغبة في البقاء في الحفلة.

← ....

f. حاول الوزراء حَلّ المشاكل السّياسيّة.

← ....

g. أرجو مِنكِ فَتْح النّوافذ. الطّقس جميل اليوم.

← ....

CHAPITRE 14 : LES MASDARS (LES NOMS D'ACTIONS)

> Contrairement aux verbes de base, les formes dérivées ont un – ou parfois deux – schémas précis sur lesquels les **masdars** sont construits. Comme pour les dérivations, on ajoute des lettres en positions initiale, médiane ou finale des racines verbales.

10 Identifiez les masdars des verbes dérivés dans les phrases suivantes.

a. تحدّث الرّؤساء عن التّضامُن بين دولهم.

← ....

b. نطلب منكم إعْلاماً دقيقاً عن ما حدث.

← ....

c. عمل خالي خمس سنوات في وزارة الدِّفاع.

← ....

d. يريد أخي تَسلُّق الشّجرة في حديقتنا.

← ....

e. الانْفِصال عن أشياء تجريب ليس بسيطاً.

← ....

f. يبدو أنّ هذا الموضوع صعب. هل أستطيع المحاولة ثانيةً؟

← ....

g. هيّا، دعنا نذهب إلى المطار لاستقبال الضّيوف.

← ....

h. اِسمعوا! عليكم تبديل القطار في الرّباط.

← ....

i. أرجو منكِ فقط الابْتِسام وسأكون سعيداً!

← ....

CHAPITRE 14 : LES MASDARS (LES NOMS D'ACTIONS)

Banque de mots

رغبة	désir, envie
رئيس / رؤساء	président
شيء / أشياء	chose
صحافيّ	journalistique
طال	s'allonger, se prolonger
عاش	vivre
قيام	(le fait de) se lever, d'accomplir une action
محاولة	(le fait d') essayer
محبوب	aimé
مؤتمر	congrès, conférence
نافذة / نوافذ	fenêtre
وزارة الدِّفاع	ministère de la Défense
وضح	clarifier
وقوف على الرّأس	figure du poirier

اِبْتسام	(le fait de) sourire
استقبال	réception, (le fait de) recevoir
إعْلام	déclaration, publicité
انْفِصال	détachement, séparation
بقاء	(le fait de) rester
بنفس	(ici :) seul
تبديل	change, changement
تَسَلُّق	(le fait d') escalader
تضامُن	solidarité
حدث	avoir lieu, arriver, se passer
حُضور	présence
حَلّ	(le fait de) résoudre, solution
دقيق	précis, exact

11 Trouvez les racines des masdars de l'exercice précédent et mettez-les dans les cases adéquates du tableau — à côté du schéma en ف – ع – ل.

verbe	masdar	schéma	
		تَفْعِيل	II
		فِعَال	III
		مُفَاعَلَة	III*
		إفْعَال	IV
		تَفَعُّل	V
		تَفَاعُل	VI
		اِنْفِعَال	VII
		اِفْتِعَال	VIII
		اِسْتِفْعَال	X

* Pour la dérivation III, on a deux schémas courants.

CHAPITRE 14 : LES MASDARS (LES NOMS D'ACTIONS)

12. Créez des masdars des racines verbales selon les schémas en ف – ع – ل.

a. تَفْعيل ← (د – ر – س) ← ....
b. مُفَاعَلَة ← (ع – ل – ج) ← ....
c. تَفَعُّل ← (ز – و – ج) ← ....
d. تَفَاعُل ← (ن – ف – س) ← ....
e. اِفْتِعَال ← (ق – س – م) ← ....
f. اِسْتِفْعَال ← (خ – د – م) ← ....

13. Identifiez les masdars et reliez chacun avec la racine correspondante.

a. تُنظِّمونَ اجتماعاً لجميع المعلّمين في المدرسة. •   • 1. ز – ع – ج
b. وعد أحد المرشّحين تخفيض الضّرائب. •   • 2. أ – خ – ر
c. أعتذر عن تأخُّري! حركة المرور صعبة اليوم. •   • 3. ج – م – ع
d. لم تفهموا شيئاً! ما رأيكم بمُراجعة هذا الدّرس؟ •   • 4. س – م – ح
e. سامحني على الازعاج! ما عرفتُ أنّكَ في البيت. •   • 5. خ – ف – ض
f. هدف القمّة السّياسيّة التّسامح السّلميّ بين الشّعبين. •   • 6. ر – ج – ع

Banque de mots

سلميّ	de paix, pacifique	ازعاج	(le fait de) déranger
سياسيّ	politique (adj.)	استخدام	utilisation
شعب	peuple	اقتسام	(le fait de) partager
ضريبة / ضرائب	impôt	تأخّر	(le fait d') être en retard
قمّة	sommet	تخفيض	réduction
مُراجعة	révision	تزوّج	(le fait de) se marier
مرشّح	candidat	تسامح	indulgence, tolérance
معالجة	traitement	تنافس	concurrence
هدف	but	حركة المرور	circulation

CHAPITRE 14 : LES MASDARS (LES NOMS D'ACTIONS)

14 Placez les bons masdars de la liste ci-dessous dans les phrases suivantes et décidez s'il faut les faire précéder d'un article ou de لـ (*pour*).

ترتيب – تناول – مشاهدة – استقبال – تحدُّث – مغادرة – تنويم

a. رجاءً، أرغب .... مع السّيّد محبوب.

b. يمكنكما .... بعد ساعة.

c. هل عندكَ ضيوف؟ عليكَ .... الشّقّة.

d. سأذهب الآن .... الغداء.

e. لماذا لا تأخذ حبّة ....

f. كيف كان حفل .... ليلة الأمس؟

15 Substituez, dans les phrases suivantes, la construction avec أنْ par un masdar.
Exemple : هل تحبّ أنْ تشرب القهوة؟ ← هل تحبّ شُرْب القهوة؟

a. أودّ أنْ أسكن في حيّ فاخر.

← ....

b. هل نستطيع أنْ نؤجّل موعدنا؟

← ....

c. هو يريد أنْ يفتح حساباً مصرفيّاً.

← ....

d. ليس مِن الممكن أنْ يتنفّس ببطء.

← ....

e. نأمل أنْ تُقاطع دولتنا منتجات هذا البلد.

← ....

f. أرجو أنْ تُرْسِلي الطّرد فوراً.

← ....

CHAPITRE 14 : LES MASDARS (LES NOMS D'ACTIONS)

16 Savez-vous par quoi il faut remplacer ces masdars dans les phrases suivantes ?

a. أنا أفضّل العودة إلى البيت.

← ....

b. لا يمكن لكم التّدخين هنا!

← ....

c. هل تُريدان التّفرّج على المدينة القديمة؟

← ....

d. عليكِ تقديم الماء لكلبكِ.

← ....

e. عفواً، هل يمكننا تغيير الغرفة؟

← ....

f. بودّي البقاء لفترة أطول.

← ....

Banque de mots

غداء	déjeuner	أجّل	remettre, ajourner
فترة	période	ببطء	lentement
فوراً	immédiatement	بودّي	je voudrais
قاطع	boycotter	ترتيب	(le fait de) mettre en ordre
محبوب	Mahboub	تقديم	(le fait de) donner, présentation
مصرفيّ	bancaire	تنفّس	respiration
مغادرة	abandon, départ	تنويم	(le fait de) coucher quelqu'un
مُقاطعة	boycot	حبّة تنويم	comprimé pour dormir
منتج / ـات	produit	عودة	retour
منطقة	région		

مبروك! (Félicitations !) Vous êtes venu(e) à bout du chapitre 14 ! Il est maintenant temps de comptabiliser les icônes et de reporter le résultat en page 128 pour l'évaluation finale.

Lexique et lecture : les mois de l'année

On distingue deux calendriers dans le monde arabe. Premièrement, le calendrier lunaire, dit de l'Hégire – en arabe التّقويم الهجري ou simplement هجرة –, qui correspond à l'ère islamique et qui se compose de 354 jours. C'est en référence à l'émigration du Prophète, ou plutôt à la fuite de celui-ci de La Mecque à Médine (qui remonte au 16 juillet 622 de l'ère chrétienne), que l'an 1 de l'ère musulmane a été fixé. Voici les noms des mois du calendrier islamique, qui règle les dates des fêtes religieuses :

1er mois	محرّم	5e mois	جمادى الأولى	9e mois	رمضان
2e mois	صفر	6e mois	جمادى الآخرة	10e mois	شوّال
3e mois	ربيع الأوّل	7e mois	رجب	11e mois	ذو القعدة
4e mois	ربيع الثاني	8e mois	شعبان	12e mois	ذو الحجّة

Deuxièmement, le calendrier grégorien – c'est-à-dire le calendrier solaire – qui correspond à l'ère judéo-chrétienne et qui est le même que le nôtre. Les noms des mois grégoriens ne sont pas les mêmes dans tous les pays arabes. Au Maghreb, il existe des noms empruntés au français ; en Égypte, au Soudan, dans les pays du Golfe et au Yémen, on utilise des noms dérivés de l'anglais ; et dans les pays du Levant – appelé aussi Machrek – et en Irak, on a tendance à employer les noms de l'ancien calendrier syro-babylonien.

	Égypte, Soudan, Yémen, pays du Golfe	Algérie, Tunisie ; Maroc*	Syrie, Irak, Jordanie, Liban
janvier	يناير	جانفي، يناير	كانون الثّاني
février	فبراير	فيفري، فبراير	شباط
mars	مارس	مارس	آذار
avril	أبريل / إبريل	أفريل، أبريل	نيسان
mai	مايو	ماي، مايو	أيّار
juin	يونيو / يونية	جوان، يونيو	حزيران
juillet	يوليو / يولية	جويلية، يوليوز	تمّوز
août	أغسطس	أوت، غشت	آب
septembre	سبتمبر	سبتمبر، شتمبر	أيلول
octobre	أكتوبر	أكتوبر	تشرين الأوّل
novembre	نوفمبر	نوفمبر، نونبر	تشرين الثّاني
décembre	ديسمبر	ديسمبر، دجمبر	كانون الأوّل

* Au sein du Maghreb, les noms des mois diffèrent entre l'Algérie et la Tunisie d'un côté et le Maroc de l'autre. Nous donnons les noms marocains en deuxième position.

15
La négation du futur

Pour la négation des verbes au futur – c'est-à-dire ceux qui sont précédés de ‐س ou ‐سوف, on les fait précéder de لن et le verbe qui suit doit être mis au subjonctif. Comparez : سأشربُ عصيراً / سوف أشربُ عصيراً (*Je boirai du jus*) → لن أشربَ عصيراً (*Je ne boirai pas de jus*).

❶ Répondez à ces questions par la négative.

Exemple : هل ستسافرُ لوحدكَ؟ ← لا، لن أسافرَ لوحدي!

a. هل سيذهبُ أخوه إلى المدرسة؟ ← ....
b. هل سيبدأُ عملكَ بعد شهرين؟ ← ....
c. هل ستبقون طويلاً في الحفلة؟ ← ....
d. هل ستخرجان في هذا الطّقس إلى الشّارع ؟ ← ....
e. هل سنأكلُ الكباب غداً؟ ← ....
f. هل سنمكثُ ساعة واحدة فقط؟ ← ....

❷ Choisissez la forme correcte du verbe.

a. مع الأسف لن ...... إجازتي غداً.
1. بدأَ
2. تبدأَ
3. سيبدأُ

b. لن ...... البريد مفتوحاً إلى السّاعة السّادسة مساءً.
1. بقيتْ
2. يبقِ
3. يبقَى

c. القطار لن ...... في الحال، أليس كذلك؟
1. ينطلقَ
2. ينطلقْ
3. ينطلقُ

d. صديقتي لن ...... إلى السّينما لأنها مريضة.
1. تأتِ
2. تأتيَ
3. يأتيَ

e. لن ...... أحفادنا شيئاً مِن الأوقات القديمة.
1. يرَوْا
2. يرَ
3. يرَى

CHAPITRE 15 : LA NÉGATION DU FUTUR

3. Mettez les verbes au futur à la forme négative.

a. سنذهبُ اليوم مساءً إلى السّينما.

← ....

b. سيغادرُ القطار بعد عشر دقائق.

← ....

c. ستبقى زينب وفاطمة مطوّلاً في المقهى.

← ....

d. ستأتين الآن معنا إلى السّوق.

← ....

e. سأسألُها لماذا لا تُحبّني.

← ....

f. سيعودون في غضون خمس دقائق.

← ....

4. Transformez ces phrases négatives en affirmatives.

Exemple : صديقتي ستأتي ← صديقتي لن تأتيَ

a. لن تنزلي مِن الباص في الموقف التّالي.

← ....

b. لن تستطيعوا تعلُّم العربيّة في باريس فقط.

← ....

c. لن يحجزَ عمر طاولة في المطعم لأنّ النّادل متشتّت.

← ....

d. لن تبقَى هذه اللّيلة في الفندق ولن تواصلَ رحلتكَ غداً.

← ....

e. لن نذهبَ، للأسف، إلى البحر الأحمر في الإجازة.

← ....

f. لن يُمْكِنَني أنْ آتيَ غداً، عندي موعد عند طبيب الأسنان.

← ....

CHAPITRE 15 : LA NÉGATION DU FUTUR

Banque de mots

متشتّت	distrait		إجازة	congé
مساءً	le soir		البحر الأحمر	la mer Rouge
مطوّلاً	longtemps		تالٍ	suivant
نادل	garçon, serveur (au restaurant)		تعلُّم	(le fait d') apprendre
واصل	continuer		حفيد / أحفاد	petit-fils
وقت / أوقات	temps		غداً	demain, le lendemain
			في غضون	au cours de, dans

مبروك! (Félicitations !) Vous êtes venu(e) à bout du chapitre 15 ! Il est maintenant temps de comptabiliser les icônes et de reporter le résultat en page 128 pour l'évaluation finale.

La négation des phrases nominales

Pour la négation des phrases nominales comprenant un adjectif, on utilise le mot غير, qui est placé devant l'adjectif (au cas indirect) auquel il se rapporte. Mais غير ne peut jamais être placé devant une préposition !

1 Mettez ces phrases à la négative.

a. الشّباب موجودون في البيت.

← ....

b. باب المكتب مفتوح.

← ....

c. البنات جميلات.

← ....

d. غرفتي واسعة.

← ....

e. صديقي علي سليم.

← ....

f. اليوم أنا فرحان.

← ....

g. الطّقس في بيروت جيّد.

← ....

Il existe un autre verbe pour traduire *ne pas être* : لَيْسَ. Ses formes suivent la conjugaison d'un verbe accompli, bien qu'il s'agisse de la forme du présent. Après ce verbe, l'objet est au cas direct.

CHAPITRE 16 : LA NÉGATION DES PHRASES NOMINALES

2 Répondez à ces questions en appliquant la négation.

Exemple : هل محمّد مريض؟ ← لا، هو غير مريض.

a. هل عثمان جوعان؟ ← لا، ....
b. هل الأكل طيّب؟ ← لا، ....
c. هل أنتَ وإخوانكَ مواظبون؟ ← لا، ....
d. هل فاطمة موجودة في البيت؟ ← لا، ....
e. هل الشّواطىء في عُمان مزدحمة؟ ← لا، ....
f. هل الطّلاب مجتهدون؟ ← لا، ....

3 Placez les formes du verbe لَيْسَ de la liste ci-après dans les bonnes cases de la grille suivante.

	هي		أنا
	نحن		أنتَ
	أنتم		أنتِ
	أنتنّ	هو	لَيْسَ
	هم		
	هنّ		
	أنتما		
	هما (m.)		
	هما (f.)		

a. لَيْسُوا g. لَسْتُم
b. لَيْسَتْ h. لَسْتِ
c. لَسْتُنَّ i. لَسْنَا
d. لَسْتَ j. لَسْتُ
e. لَيْسا k. لَسْتُما
f. لَيْسَتا l. لَسْنَ

Banque de mots

سليم	sain
شاطىء / شواطىء	plage
فرحان	content
مزدحم	encombré, bondé

107

CHAPITRE 16 : LA NÉGATION DES PHRASES NOMINALES

4 Mettez ces phrases à la forme négative en utilisant la forme correcte de لَيْسَ.
Exemple : أحمد لَيْسَ طبيباً. ← أحمد طبيب.

a. أنا طبّاخ. ←
b. نحن مهندسون. ←
c. بنتي ممرّضة. ←
d. أنتم في بيت نادية. ←
e. أنتَ مشغول الآن. ←
f. هنّ في الحديقة. ←
g. أنتما مدرّسان. ←
h. أنتِ تعبانة. ←

5 Niez ces phrases des deux manières possibles, tout en faisant attention à la forme de l'adjectif.

a. الشّاي بارد.
←
←

b. الفنجان صغير.
←
←

c. القهوة جيّدة.
←
←

d. علي قصير.
←
←

e. أحمد طويل.
←
←

f. أنا مُتْعَب.
←
←

g. هو جائع.
←
←

h. المطعم غالٍ.
←
←

CHAPITRE 16 : LA NÉGATION DES PHRASES NOMINALES

 Traduisez ces phrases. (Dans deux cas, deux types de négation sont possibles.)

a. Je ne suis pas marocain.

.... ←

b. Tu (f.) n'es pas au Caire.

.... ←

c. Choukri n'est pas affamé (n'a pas faim).

.... ←

d. Aden n'est pas la capitale du Yémen.

.... ←

e. Ils (duel) ne sont pas (présents) à l'école.

.... ←

f. Elles (duel) ne sont pas ici.

.... ←

g. Génial, ce soleil, n'est-ce pas ?

.... ←

La négation des constructions pour le verbe *avoir* se forme avec ما ou encore ليس. Pour une phrase comme *Je n'ai pas de livre*, on aura donc ما عندي كتاب ou ليس عندي كتاب. Souvenez-vous que, pour créer le passé, on met كان devant la construction du verbe *avoir* : كان عندي صديقي ← *J'avais un ami*. Pour former la négation, ما se place devant كان : ما كان عندي صديقي ← *Je n'avais pas d'ami*.

CHAPITRE 16 : LA NÉGATION DES PHRASES NOMINALES

7 Niez les phrases suivantes.

a. عندهم منزل في الرّيف.

← ....

b. عندكِ عائلة كبيرة.

← ....

c. عندها مدير عنيد.

← ....

d. عندي فرشاة أسنان.

← ....

e. عندنا صداع اليوم.

← ....

f. عندكما سرير واسع.

← ....

8 Répondez par une négation à ces questions. Exemple :
هل عند سميرة بنت؟ ← لا، ما عندها بنت. / لا، ليس عندها بنت.

a. هل عند كامل سيّارة؟ ← لا، ....

b. هل عندكَ نقود؟ ← لا، ....

c. هل عند ياسمين كُتُب؟ ← لا، ....

d. هل عندكنّ فكرة؟ ← لا، ....

e. هل عند النّاس جوازات؟ ← لا، ....

f. هل عندهنّ سؤال؟ ← لا، ....

Il existe des expressions où on combine ليس avec d'autres compléments. Beaucoup de ces expressions sont idiomatiques et doivent être apprises telles quelles.

CHAPITRE 16 : LA NÉGATION DES PHRASES NOMINALES

 Complétez ces petits dialogues. Il faut rédiger soit la question, soit la réponse au passé.

a. هل .... ؟ ← لا، ما كان عندنا تذاكر.

b. هل كان عندكِ درّاجة؟ ← لا، ....

c. هل كان عند مريم زوج لطيف؟ ← لا، ....

d. هل .... ؟ ← لا، ما كان عندي علبة سجائر.

e. هل .... ؟ ← لا، ما كان عندهم دليل سياحيّ.

f. هل كان عندكما بنزين؟ ← لا، ....

 Trouvez la traduction adéquate de ces phrases.

- a. لَسْتُ أدري بعد.
- b. لَيْسَ مِن الضّروريّ.
- c. لَيْسَ لدى كلّ هؤلاء النّاس أيّ وقت.
- d. لَيْسَ لدينا ارتباط.
- e. ألَيْسَ كذلك؟
- f. لَسْتُ بفاعلٍ.

- 1. N'est-ce pas ?
- 2. Nous sommes libres (nous n'avons pas d'engagement).
- 3. Ce n'est pas nécessaire.
- 4. Je ne suis pas capable (de le faire).
- 5. Tous ces gens n'ont pas le temps.
- 6. Je ne sais pas encore.

Banque de mots

عدن	Aden	اِرتباط	engagement
علبة سجائر	paquet de cigarettes	بفاعلٍ	capable
عنيد	têtu	دليل	(ici :) guide
فرشاة أسنان	brosse à dents	رائع	génial

مبروك! (Félicitations !) Vous êtes venu(e) à bout du chapitre 16 ! Il est maintenant temps de comptabiliser les icônes et de reporter le résultat en page 128 pour l'évaluation finale.

111

17
Les prépositions

L'arabe connaît, comme le français, des prépositions qui sont – comme leur nom l'indique – placées devant un élément subordonné appelé complément, qui est toujours au cas indirect. On fait la distinction entre prépositions liées au mot – notamment بـ (*avec, au moyen de*), لـ (*pour, pour que, à*) et كـ (*comme*) – et celles qui ne sont pas liées. Les prépositions liées peuvent être rattachées au mot qui suit, à l'article ou, pour بـ et لـ, suivies d'un pronom personnel affixé.

1 Décidez quelles prépositions liées il faut placer dans ces phrases.

a. لماذا لا تكتب .... ـالقلم؟

b. هل سهرتم .... صباح اليوم؟

c. هي صادقت فقط أشخاصاً .... ـهؤلاء.

d. لا نحبّ السّفر .... ـالطائرة.

e. أختكِ جميلة .... ـالوردة!

f. هيّا نمشي .... ـبيت أصدقائنا!

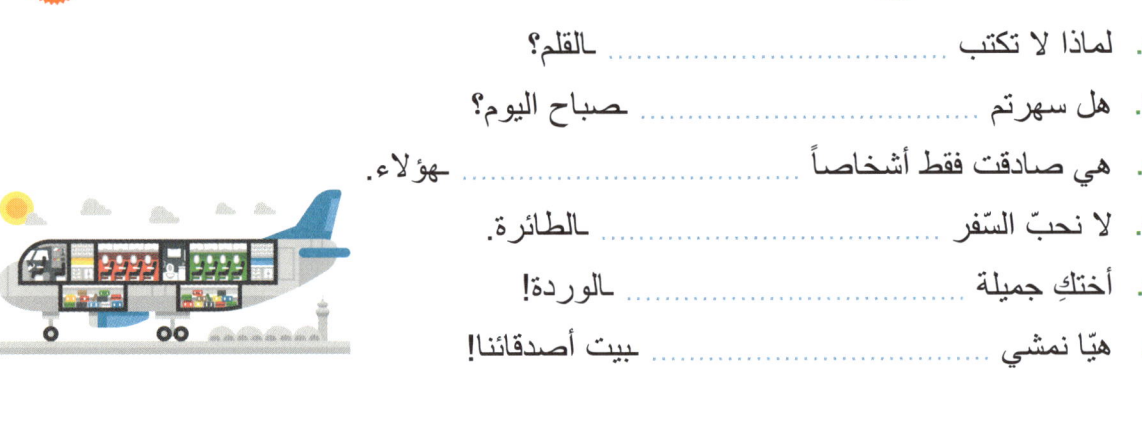

2 Liez les deux parties pour créer des phrases qui font sens.

بالهاتف.	1 •	• a	تركض ....
للمساء في المكتب.	2 •	• b	اشتريتُ سيّارة ....
بألف ريال.	3 •	• c	تعالوا إلى منزلي ....
كالحصان.	4 •	• d	هنا بارد ....
لمشاهدة الفيلم الجديد!	5 •	• e	أمس بقينا ....
كالثّلّاجة.	6 •	• f	عليكَ أنْ تُخبِرَنا ....

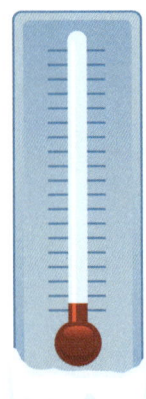

CHAPITRE 17 : LES PRÉPOSITIONS

Certains verbes sont associés avec بـ et d'autres avec لـ. Lorsque لـ est suivi d'un pronom personnel affixé, il représente aussi l'objet indirect, c'est-à-dire le bénéficiaire de l'action.

3 Retrouvez dans cette grille ces huit verbes qui sont suivis de بـ.

احتفظ – اعتقد – اقتنع – اهتمّ – التحق – علم – رضي – وثق

ة	لأ	ي	ض	ر
ب	ا	آ	ل	غ
د	ق	ت	ع	ا
ل	ت	غ	ص	ح
خ	ن	ك	ج	ت
ؤ	ع	م	أً	ف
ع	و	ا	آ	ظ
ل	ب	ل	غ	ث
م	م	ت	ه	ا
ط	ج	ح	ى	أ
ب	ي	ق	ث	و

Banque de mots

احتفظ	conserver
اقتنع	se contenter, être convaincu
اهتمّ	se soucier
التزم	s'engager
سهر	veiller
شخص / أشخاص	personne
صادق	fréquenter
مشى	marcher
وثق	faire confiance

4 Décidez, dans ces phrases, s'il faut mettre بـ ou لـ avec les verbes mentionnés.

a. رحّب .... نا وفد رسميّ في المطار.

b. هل تحتاج .... مساعدة منّي يا سيّدي؟

c. حلمتُ .... كِ اللّيلة كلّها يا سلمى.

d. هل تستطيع أنْ تمرّ .... ـالمخبز؟

e. اضطررنا .... ـاستعمال التّاكسي بسبب الإضراب.

f. نُعجب .... جمال شعر جبران خليل جبران.

g. اغفر .... نا إذا ما فهمنا دائماً كلّ شيء.

h. هل ترغب .... غرفة مزدوجة أم غرفة مفردة؟

113

CHAPITRE 17 : LES PRÉPOSITIONS

5 Dans ces phrases, ـلـ exprime l'objet indirect. Mettez les suffixes personnels adéquats — les personnes se trouvent entre parenthèses.

a. سوف نُرسل لـ .... (أنتم) بطاقة مِن العطلة.

b. مَن قال لـ .... (أنتَ) إنّ باسم مريض؟

c. ماذا حدث لـ .... (هنّ) خلال سفرهنّ؟

d. ها القطار! لا بدّ لـ .... (هي) المغادرة الآن!

e. عبّرتْ لـ .... (أنا) والدتي عن قلقها.

f. أنا أريد أنْ أقدّم لـ .... (أنتما) اقتراحاً عظيماً.

6 Traduisez les phrases de l'exercice précédent en français.

a. ....
b. ....
c. ....
d. ....
e. ....
f. ....

Banque de mots

احتاج لـ / إلى	avoir besoin de*
إذا	si
استعمال	utilisation, (le fait d') utiliser
إضراب	grève
اضطرّ	(ici :) être obligé
أعجب	(ici :) admirer
اقتراح	suggestion
جبران خليل جبران	Gibran Khalil Gibran (poète libanais)
جمال	beauté

* Pour احتاج et اضطرّ, les deux prépositions لـ et إلى sont correctes, avec une préférence pour إلى dans la langue parlée.

114

CHAPITRE 17 : LES PRÉPOSITIONS

Banque de mots

سلمى	Salma
شعر	poésie
عبّر	exprimer
عظيم	(ici :) superbe, grand
غرفة مزدوجة	chambre double
غرفة مفردة	chambre individuelle
قلق	préoccupation
لا بدّ لـ	il faut absolument
مخبز	boulangerie
وفد	délégation

حبيب	amant, amoureux
خلال	au cours de, pendant
رحّب	(ici :) souhaiter la bienvenue
رغب بـ	désirer

Lorsque لـ est placé devant un verbe au subjonctif, il exprime un ordre, une invitation ou la conjonction *afin que*, *pour que*.

7 Transformez ces phrases en appliquant لـ et le verbe au subjonctif.
Exemple : نأكلَ طعاماً ← لِنأكلَ طعاماً.

a. أنتَ جوعان؟ حسناً! (نذهب) إذاً إلى المطعم!

← ....

b. معي جميع الوثائق. (نُكمّل) الإجراءات فوراً!

← ....

c. لا أظنّ ذلك! (تُراجع) الحساب بالتّفصيل!

← ....

d. سوف أعتمد عليكم. (تُغلقونَ) الباب الرئيسيّ!

← ....

e. أجلب شيئاً ما مِن الثّلاجة (أشربه).

← ....

115

CHAPITRE 17 : LES PRÉPOSITIONS

À côté des prépositions liées, l'arabe connaît un grand nombre de prépositions non liées, comme les plus utilisées مِن (dans ; en), في (avec ; en compagnie de), مع (à ; vers), إلى (de), عن (de), على (sur), ou d'autres comme بجانب (à côté de), تحت (au-dessous de), فوق (au-dessus de), حول (derrière), خلف / وراء (devant), أمام (vers), نحو (chez), عند (contre), ضدّ (avant) ou منذ (depuis), قبل (après), بعد (jusqu'à ; à), حتّى (sans), بدون (entre), بين (autour).

8 Traduisez ces phrases françaises en insérant les prépositions manquantes dans les phrases arabes ci-après.

1. Nous sommes restés jusqu'à minuit chez notre oncle (paternel).
2. Nous allons dans les Alpes en Suisse.
3. Arrêtez tout ce babillage, les enfants !
4. Est-ce que tu (m.) aimes le thé sans sucre ?
5. Je suis arrivé avec ma famille de Dubaï.
6. Nos maris ne discutent qu'autour du football.
7. La petite chatte est assise sur le conteneur d'ordures.
8. Depuis un an, le peuple est contre tout ce que les ministres décident.

a. بقينا .... عمّنا .... منتصف اللّيل.
b. نذهب .... جبال الألب .... سويسرا.
c. كفّوا .... كلّ هذا الهراء يا أطفال!
d. هل تُحبّ الشّاي .... سكّر؟
e. وصلتُ أنا .... عائلتي .... دبيّ.
f. يتناقش أزواجنا .... كرة القدم فقط.
g. تجلس القطة الصّغيرة .... حاوية الزّبالة.
h. .... سنة الشّعب .... كلّ ما يقرّر الوزراء.

Banque de mots

قرّر	décider	جبال الألب	les Alpes	إجراء	mesure, démarche
كفّ	cesser	جلب	apporter	إذاً	alors, donc
كمّل	compléter	حاوية	conteneur	اعتمد على	compter sur
هراء	babillage	رئيسيّ	principal	تفصيل	détail
وثيقة / وثائق	document	زبالة	ordures	تناقش	discuter
		سويسرا	Suisse		

CHAPITRE 17 : LES PRÉPOSITIONS

9. Placez les prépositions de la liste ci-dessous à la bonne place dans les phrases suivantes.

عند – مِن – على – رغم – بعد – مع – نحو – قبل – عن

a. زوجتي دائماً .... الهاتف.

b. تحدّثنا ساعتين .... محمّد وأخته.

c. عفواً، أبحث .... مطعم نباتيّ.

d. أذهب الآن .... البيت.

e. يقضي فاضل أسبوعاً .... بنت أخته.

f. هذا لا يُغيّر .... الأمر شيئاً!

g. سريري صغير ولكنه مريح .... ذلك.

h. أين سنلتقي .... الحفلة الموسيقيّة؟

i. أكلتُ شيئاً .... الغداء.

10. Décidez quelle est la préposition correcte à placer dans ces phrases.

a. متى ستأتي .... البيت؟
1. إلى
2. بعد
3. تحت

b. .... ماذا تتحدّثين يا مريم؟
1. بدون
2. أمام
3. عن

c. جلسنا معاً .... الطّاولة.
1. حول
2. منذ
3. حتّى

d. مشينا بسرعة .... البحر.
1. فوق
2. نحو
3. خلف

e. أنا .... ثقة أنّكِ ستجدين عملاً.
1. مع
2. قبل
3. على

f. انتظروكم .... المحطّة بصبر.
1. ضدّ
2. في
3. بين

CHAPITRE 17 : LES PRÉPOSITIONS

Certains verbes sont toujours suivis d'une préposition spécifique, les plus communs sont إلى، على، عن، في، مِن. D'autres verbes – surtout ceux à la dérivation VI – sont aussi associés avec la préposition مع comme تعامل (*traiter, travailler*) ou تناسب (*correspondre*).

Quels verbes utilise-t-on avec ces prépositions ?

مِن	في	عن	على	إلى

u. شارك	p. ساعد	k. استعار	f. فكّر	a. سلّم
v. مكّن	q. أهدى	l. توجّه	g. حصل	b. نظر
w. نظر	r. تخلّى	m. استفاد	h. تنازل	c. اقترب
x. أثّر	s. تفرّج	n. بحث	i. ضحك	d. أسرع
y. افترق	t. أسفر	o. أشرف	j. تطلّع	e. دلّ

Banque de mots

على ثقة	(être) confiant	حصل	acquérir, obtenir	استعار	emprunter
قضى	passer	سرير	lit	أسفر	dévoiler
مريح	confortable	سلّم على	saluer	اقترب	s'approcher (de)
مكّن	permettre (à)	سلّم	confier	أهدى	offrir (à)
نباتيّ	végétarien	صبر	patience	تطلّع	aspirer (à)
نظر	examiner ; regarder*	ضحك	(ici :) se moquer (de)	توجّه	s'adresser (à)

* La différence entre les deux sens se fonde sur l'emploi d'une des deux prépositions possibles : نظر في (*examiner*), نظر إلى (*regarder*).

مبروك! (Félicitations !) Vous êtes venu(e) à bout du chapitre 17 ! Il est maintenant temps de comptabiliser les icônes et de reporter le résultat en page 128 pour l'évaluation finale.

SOLUTIONS

1. Le verbe – révision

❶ a. السّيّد أحمد يذهبُ إلى المنزل. b. هل تعرفه منذ وقت طويل؟ c. جاك فرنسيّ. d. النّاس رقصوا وضحكوا كثيراً. e. هيّا اشربْ قدحاً من النّبيذ معي! f. أنتِ لستِ من هنا، يبدو كأنّكِ لم تفهمي؟ g. هل تعملين في مطعم لبنانيّ هناك؟

❷
	Verbe	Personne	Forme verbale
a.	ذهب	3ᵉ personne du singulier masculin (هو)	inaccompli
b.	عرف	2ᵉ personne singulier masculin (أنتَ), 3ᵉ personne singulier féminin (هي)	inaccompli
c.	وصل	3ᵉ personne singulier masculin (هو)	accompli
d.	رقص، ضحك	3ᵉ personne pluriel masculin (هم)	accompli
e.	شرب	2ᵉ personne singulier masculin (أنتَ)	impératif
f.	بدا، فهم	3ᵉ personne singulier masculin (هو), 2ᵉ personne singulier féminin (أنتِ)	inaccompli, apocopé
g.	عمل	2ᵉ personne singulier féminin (أنتِ)	inaccompli

❸ a. هل ستأتي معنا إلى المقهى؟ b. هل تعرفين طبيباً جيّداً في هذه المدينة؟ c. أنا أشرب عصير الليمون، وأنتَ؟ d. نبحث عن مطعم رخيص. e. كلّ شيء يكون في البداية صعباً. f. توجد هناك حانة جميلة. g. أين يقع فندق الواحة؟

❹ a. يدخل المدير المكتب. b. نفهم درس الفيزياء. c. أعمل أسبوعاً كاملاً. d. حميد يقول لي أين تسكن عمّته. e. تذهب منيرة إلى السّينما مع أختها. f. تجلسون ساعتين في مقهى عند الميناء. g. لماذا تدفع ثمن الرّحلة إلى الكويت؟

❺ a. Comment ça va aujourd'hui ? (Comment est la condition aujourd'hui ?) b. C'est mademoiselle Aïcha. c. Elle est de Damas. d. Bienvenue, Mahmoud ! Où es-tu ? e. C'est vrai !? Ce n'est pas possible ! f. Pourquoi le thé est froid ? g. C'est vraiment une surprise ! h. J'ai très soif !

❻ a. 6. b. 8. c. 7. d. 5. e. 2. f. 1. g. 4. h. 3.

❼ a. 4. b. 5. c. 1. d. 3. e. 2.

❽ a. 4. b. 6. c. 1. d. 2. e. 3. f. 5.

2. Le subjonctif

❶
	جلس	كتب	فعل
أنا	أجلسَ	أكتبَ	أفعلَ
أنتَ	تجلسَ	تكتبَ	تفعلَ
أنتِ	تجلسي	تكتبي	تفعلي
هو	يجلسَ	يكتبَ	يفعلَ
هي	تجلسَ	تكتبَ	تفعلَ
نحن	نجلسَ	نكتبَ	نفعلَ
أنتم	تجلسوا	تكتبوا	تفعلوا
هم	يجلسوا	يكتبوا	يفعلوا
هنّ	يجلسنَ	يكتبنَ	يفعلنَ
أنتما	تجلسا	تكتبا	تفعلا
هما	يجلسا، تجلسا	يكتبا، تكتبا	يفعلا، تفعلا

❷ a. ... تطبخا الطّعام. b. ... أضحكُ من نكتة. c. ... يلعبوا في حجرة الجلوس. d. ... يسقطا من الشّجرة. e. ... تمزحي بموضوع جادّ. f. ... تفتحوا الباب. g. ... الكلبتين تنبحا.

❸ a. أنتَ تسكني b. هو يربحَ c. هم يطلبوا d. هما يبحثا e. أنتما / هما تنتظرا f. أنتِ / هي تعملا

❹ a. هو يزورَ b. أنتِ تنامي c. نحن نبقى d. هما يبيعا / هما تبيعا e. أنتم تصوما f. هو يبكيَ g. هنّ يشكرنَ

❺ a. أنتِ تُدرّنَ b. نحن ننسى c. أنا أطوّرَ d. هو يبكيَ e. أنتم تصيحوا f. أنتِ / هي ترجوَ g. أنتَ / هي تبدوَ

3. Les neuf dérivations verbales

❶ a. ش – ر – ب b. د – خ – ل c. ع – ل – م d. ط – ب – ق e. ك – س – ر f. ر – ق – ب

❷ ف – ر – ق : i, s, d, p ك – ت – ب : o, q, g, a ح – س – ن : j, t, h, n خ – ب – ر : k, e, b, m ع – ل – ن : l, f, c, r

❸ a. فَعَلَ b. فَعَّلَ c. فاعَلَ d. أفْعَلَ e. تَفَعَّلَ f. تَفاعَلَ g. اِنْفَعَلَ h. اِفْتَعَلَ i. أفْعَلَ j. اِسْتَفْعَلَ

❹ a. 5. فَعَلَ، يَفْعُلُ b. 8. فَعَّلَ، يُفَعِّلُ c. 4. فاعَلَ، يُفاعِلُ d. 10. أفْعَلَ، يُفْعِلُ e. 1. تَفَعَّلَ، يَتَفَعَّلُ f. 9. تَفاعَلَ، يَتَفاعَلُ g. 3. اِنْفَعَلَ، يَنْفَعِلُ h. 6. اِفْتَعَلَ، يَفْتَعِلُ i. 7. أفْعَلَ، يُفْعِلُ j. 2. اِسْتَفْعَلَ، يَسْتَفْعِلُ

❺ a. ماذا تُحبّين أن تفعلي في وقت فراغكِ؟ b. لو سمحتَ، هل يُمكنُكَ أن تُساعدني؟ c. من فضلكَ أعطِنا قائمة الطّعام! d. عادةً نُسافرُ في الصّيف مع الأولاد. e. أين ومتى نلتقي هذا المساء؟ f. مع الأسف أتَكَلَّمُ العربيّة قليلاً فقط. g. ماذا تُفضّلون على الأغلب؟ h. هل تَسْتطيعُ أن تُبْلِغها بأنّي اتّصلتُ؟

❻ 1. g. 2. d. 3. b. 4. h. 5. a. 6. c. 7. e. 8. f.

4. La dérivation II

❶ a. أنتِ دخّنتِ b. هما رتّبا / رتّبتا c. أنتما فضّلتما d. أنتَ قدّرتَ e. هي كلّفتْ f. نحن درّبنا

❷ a. أنتِ تُدخّنين b. هما يُرتّبان / تُرتّبان c. أنتما تُفضّلان d. أنتَ تُقدّر e. هي تُكلّف f. نحن ندرّب

❸ a. 5. b. 4. c. 1. d. 2. e. 3. f. 6.

❹
	درس	صلّح	فكّر
أنا	درستُ	صلّحتُ	فكّرتُ
أنتَ	درستَ	صلّحتَ	فكّرتَ
أنتِ	درستِ	صلّحتِ	فكّرتِ
هو	درسَ	صلّحَ	فكّرَ
هي	درستْ	صلّحتْ	فكّرتْ
نحن	درسنا	صلّحنا	فكّرنا
أنتم	درستم	صلّحتم	فكّرتم
أنتنّ	درستنّ	صلّحتنّ	فكّرتنّ
هم	درسوا	صلّحوا	فكّروا
هنّ	درسنَ	صلّحنَ	فكّرنَ

❺ a. أنتِ تحسّنين b. هما يصدّقان / تصدّقان c. أنتما تسخّنان d. أنا أحمّل e. هي تقدّم f. نحن ننظّم

❻ a. أنتِ تُحسّنينَ b. هما يُصدّقان / تُصدّقان c. أنتما تُسخّنان d. أنا أُحمّلُ e. هي تُقدّمُ f. نحن نُنظّمُ

❼ a. أنتما b. هو c. هما d. نحن e. أنتم f. أنتما / هما

❽ a. الإعلاميون يُنَدّدون ببيان سكرتير الدّولة. b. تُحسّن إدارة البلديّة نظافة المدينة. c. يُكسّر الأولاد غصن الشّجرة للمدفأة. d. يُدرّس أحمد اللّغة العربيّة في الجامعة. e. أقدّم نفسي أمام مدير الكلّيّة. f. نُرحّب بكم في قريتنا الجميلة.

❾ a. يُهنّي b. أكّدتُ c. تُوَجّر d. أثّرتُ e. خبّأتُ

❿
	أسّس		برّأ	
	accompli	inaccompli	accompli	inaccompli
أنا	أسّستُ	أؤسّسُ	برّأتُ	أبرّئُ
أنتَ	أسّستَ	تؤسّسُ	برّأتَ	تبرّئُ
أنتِ	أسّستِ	تؤسّسين	برّأتِ	تبرّئين
هو	أسّسَ	يؤسّسُ	برّأَ	يبرّئُ
هي	أسّستْ	تؤسّسُ	برّأتْ	تبرّئُ
نحن	أسّسنا	نؤسّسُ	برّأنا	نبرّئُ
أنتم	أسّستم	تؤسّسون	برّأتم	تبرّئون
هم	أسّسوا	يؤسّسون	برّأوا	يبرّئون
أنتما	أسّستما	تؤسّسان	برّأتما	تبرّئان
هما (m.)	أسّسا	يؤسّسان	برّآ	يبرّئان

119

SOLUTIONS

4

	ذاكر	ساعد	عامل
أنا	أذاكرُ	أساعدُ	أعاملُ
أنتَ	تُذاكرُ	تُساعدُ	تُعاملُ
أنتِ	تُذاكرين	تُساعدين	تُعاملين
هو	يُذاكرُ	يُساعدُ	يُعاملُ
هي	تُذاكرُ	تُساعدُ	تُعاملُ
نحن	نُذاكرُ	نُساعدُ	نُعاملُ
أنتم	تُذاكرون	تُساعدون	تُعاملون
أنتنّ	تُذاكرنَ	تُساعدنَ	تُعاملنَ
هم	يُذاكرون	يُساعدون	يُعاملون
هنّ	يُذاكرنَ	يُساعدنَ	يُعاملنَ

5. a. هل تُرافقنا إلى المسرح؟ b. هل تُراجعين أسئلة الامتحان؟ c. متى تُغادران إلى العطلة؟ d. يُسافر الأمير بطائرة خاصّة. e. أساعد ابني في دروسه في الرياضيّات. f. هل تُشاركنَ في اجتماع الشركة؟ g. لماذا تُجادلهم دائماً بالسياسة؟

6

	Racine	Pronom personnel
a.	ر – ف – ق	أنتَ
b.	ر – ج – ع	أنتِ
c.	غ – د – ر	أنتما / هما
d.	س – ف – ر	هو
e.	س – ع – د	أنا
f.	ش – ر – ك	أنتنّ
g.	ج – د – ل	نحن

7. a. رَافَقَ، يُرَافِقُ b. رَاجَعَ، يُرَاجِعُ c. غَادَرَ، يُغَادِرُ d. سَافَرَ، يُسَافِرُ e. سَاعَدَ، يُسَاعِدُ f. شَارَكَ، يُشَارِكُ g. جَادَلَ، يُجَادِلُ

8. a. يُشاهد الأولاد التلفزيون كلَّ اليوم. b. تُذاكر نادية للامتحان الصعب. c. أنا ورمزي نُساعد أمّي في المطبخ. d. أنتم تُجادلون غالباً المعلّم، أليس كذلك؟ e. الزملاء يُعاملونني كأنّني أحمق. f. كثيرون من ناس بلدي يُهاجرون بسبب البطالة. g. متى يُغادر القطار التالي إلى الأقصُر، من فضلك؟

9. a. يُدافع حارس المرمى بشكل ممتاز. b. تُمارس سميرة مهنة التعليم. c. المشجّعون يُراقبون مهاجم فريقهم. d. نُعالج المريض بدون تخدير. e. تُراسلون أصدقاءكم في الخرطوم. f. المديران يُعاملان موظّفيهما بثقة.

11. a. سيُوقّع b. عيّنْ c. ضحّى d. غيّرتْ e. أن نُوقّف

12. a.

	accompli	inaccompli
أنا	صلّيتُ	أصلّي
أنتَ	صلّيتَ	تُصلّي
أنتِ	صلّيتِ	تُصلّين
هو	صلّى	يُصلّي
هي	صلّتْ	تُصلّي
نحن	صلّينا	نُصلّي
أنتم	صلّيتم	تُصلّون
هم	صلّوا	يُصلّون

b.

	accompli	inaccompli
أنا	صوّرتُ	أصوّر
أنتَ	صوّرتَ	تُصوّر
أنتِ	صوّرتِ	تُصوّرين
هو	صوّرَ	يُصوّر
هي	صوّرتْ	تُصوّر
نحن	صوّرنا	نُصوّر
أنتم	صوّرتم	تُصوّرون
هم	صوّروا	يُصوّرون

c.

	accompli	inaccompli
أنا	غنّيتُ	أغنّي
أنتَ	غنّيتَ	تُغنّي
أنتِ	غنّيتِ	تُغنّين
هو	غنّى	يُغنّي
هي	غنّتْ	تُغنّي
نحن	غنّينا	نُغنّي
أنتم	غنّيتم	تُغنّون
هم	غنّوا	يُغنّون

5. La dérivation III

1

ض	س	ا	م
خ	ت	ي	ه
ط	ع	غ	ل	ر
ب	ش	د	ة	س
غ	خ	و	ا	ى
ت	ت	ا	ف	خ
ص	ض	ح	ء	ظ
م	ل	ي	ظ	

2. a. أنا قابلتُ b. هو شاركَ c. أنتم حادثتم d. هنّ شاهدنَ e. أنتما غادرتما f. نحن سافرنا

3. a. أنتِ جادلتِ b. هما سابقا / سابقتا c. أنتما هاجرتما d. أنتَ جالستَ e. هي راجعتْ f. هم ناقشوا

10

	آخذ		لاءم		فاجأ	
	accompli	inaccompli	accompli	inaccompli	accompli	inaccompli
أنا	آخذتُ	أواخذُ	لاءمتُ	ألائمُ	فاجأتُ	أفاجئُ
أنتَ	آخذتَ	تُواخذُ	لاءمتَ	تُلائمُ	فاجأتَ	تُفاجئُ
أنتِ	آخذتِ	تُواخذين	لاءمتِ	تُلائمين	فاجأتِ	تُفاجئين
هو	آخذ	يُواخذُ	لاءم	يُلائمُ	فاجأ	يُفاجئ
هي	آخذتْ	تُواخذُ	لاءمتْ	تُلائمُ	فاجأتْ	تُفاجئُ
نحن	آخذنا	نُواخذُ	لاءمنا	نُلائمُ	فاجأنا	نُفاجئُ
أنتم	آخذتم	تُواخذون	لاءمتم	تُلائمون	فاجأتم	تُفاجؤون
أنتنّ	آخذتنّ	تُواخذنَ	لاءمتنّ	تُلائمنَ	فاجأتنّ	تُفاجئنَ
هم	آخذوا	يُواخذون	لاءموا	يُلائمون	فاجؤوا	يُفاجؤون
هنّ	آخذنَ	يُواخذنَ	لاءمنَ	يُلائمنَ	فاجأنَ	يُفاجئنَ

SOLUTIONS

11

	واجه		شاور		عانى	
	accompli	inaccompli	accompli	inaccompli	accompli	inaccompli
أنا	واجهْتُ d.	أواجه	شاورْتُ	أشاور	عانيْتُ v.	أعاني
أنتَ	واجهْتَ f.	تواجه	شاورْتَ x.	تشاور	عانيْتَ p.	تُعاني
أنتِ	واجهْتِ c.	تواجهين	شاورْتِ n.	تشاورين	عانيْتِ	تُعانين
هو	واجه m.	يواجه	شاور o.	يشاور	عانى	يُعاني
هي	واجهْت w.	تواجه	شاورتْ a.	تشاور	عانتْ u.	تُعاني
نحن	واجهْنا e.	نواجه	شاورْنا y.	نشاور	عانينا j.	نُعاني
أنتم	واجهْتم k.	تواجهون	شاورتم g.	تشاورون	عانيتم h.	تُعانون q.
هم	واجهوا i.	يواجهون	شاوروا b.	يشاورون	عانوا t.	يُعانون

a. 2. b. 4. c. 5. d. 1. e. 3.

6. La dérivation IV

6

	آمَنَ		أطْفَأ	
	accompli	inaccompli	accompli	inaccompli
أنا	آمنتُ	أومنُ	أطفأتُ	أُطفئُ
أنتَ	آمنتَ	تؤمنُ	أطفأتَ	تُطفئُ
أنتِ	آمنتِ	تؤمنين	أطفأتِ	تُطفئين
هو	آمنَ	يؤمنُ	أطفأ	يُطفئُ
هي	آمنتْ	تؤمنُ	أطفأتْ	تُطفئُ
نحن	آمنّا	نؤمنُ	أطفأنا	نُطفئُ
أنتم	آمنتم	تؤمنون	أطفأتم	تُطفئون
هم	آمنوا	يؤمنون	أطفؤوا	يُطفئون
أنتما	آمنتما	تؤمنان	أطفأتما	تُطفئان
هما (m.)	آمنا	يؤمنان	أطفأ	يُطفئان

7

a. 1 b. 3 c. 2 d. 2 e. 3 f. 1

8

	أراد		أعطى	
	accompli	inaccompli	accompli	inaccompli
أنا	أردتُ	أريدُ	أعطيْتُ	أُعطي
أنتَ	أردتَ	تريدُ	أعطيْتَ	تُعطي
أنتِ	أردتِ	تريدين	أعطيْتِ	تُعطين
هو	أراد	يريدُ	أعطى	يُعطي
هي	أرادتْ	تريدُ	أعطتْ	تُعطي
نحن	أردنا	نريدُ	أعطينا	نُعطي
أنتم	أردتم	تريدون	أعطيْتم	تُعطون
أنتنّ	أردتنّ	تردنَ	أعطيْتنّ	تُعطينَ
هم	أرادوا	يريدون	أعطَوْا	يُعطون
هنّ	أردنَ	يردنَ	أعطينَ	يُعطينَ

1

	أخْرَجَ		أرْسَلَ		أصْلَحَ
أنا	أخرجْتُ		أرسلْتُ		أصلحْتُ
أنتَ	أخرجْتَ		أرسلْتَ		أصلحْتَ
أنتِ	أخرجْتِ		أرسلْتِ		أصلحْتِ
هو	أخرجَ		أرسلَ		أصلحَ
نحن	أخرجْنا		أرسلْنا		أصلحْنا
أنتم	أخرجتم		أرسلتم		أصلحتم
هم	أخرجوا		أرسلوا		أصلحوا
هنّ	أخرجْنَ		أرسلْنَ		أصلحْنَ
أنتما	أخرجتما		أرسلتما		أصلحتما
هما	أخرجا/ أخرجتا		أرسلا/ أرسلتا		أصلحا/ أصلحتا

2

	أدْرَجَ		أشْرَفَ		أعْلَنَ
أنا	أدرجُ		أشرفُ		أعلنُ
أنتَ	تدرجُ		تشرفُ		تعلنُ
أنتِ	تدرجين		تشرفين		تعلنين
هو	يدرجُ		يشرفُ		يعلنُ
نحن	نُدرجُ		نُشرفُ		نُعلنُ
أنتم	تدرجون		تشرفون		تعلنون
هم	يدرجون		يشرفون		يعلنون
هنّ	يدرجنَ		يشرفنَ		يعلنَّ
أنتما	تدرجان		تشرفان		تعلنان
هما	يُدرجان / تُدرجان		يُشرفان / تُشرفان		يُعلنان / تُعلنان

3

a. أنا أحسن. b. أنتَ تُقلع. c. هو يُرسل. d. نحن نُسرع.
e. أنتم تُخبرون. f. هم يُنقذون. g. هنّ يُصبحن.

4

a. 3. b. 6. c. 4. d. 1. e. 2. f. 5.

5

a. – بالتأكيد. هي تُعجبني كثيراً! b. – لا، ولكن أصلحتُ الثّلاجة.
c. – أرسله إلى فرنسا. d. – نعم، أنشد شعراً للمتنبّي.
e. – لا، ولكن أخبرتْ أختهُ جميع الأصدقاء. f. – نعم، أغلقنا باب السّيّارة.
g. – لا، للأسف ما أحسنّا في الامتحانات.

9
a. سيُجيبوا b. تُجيبوا c. نُجب d. أجاب e. أجبتِ f. تُجيب

10
a. أوجب b. يوجب c. توجين d. ت أوجبتْ e. توجب

11
a. و – ق – ف b. ن – ه – ى c. و – ص – ل
d. ج – ا – د e. ق – ا – م

12

	L'accompli			
أنا	أوقفتُ	أنهيْتُ	أوصلتُ	أجدتُ	أقمتُ
أنتَ	أوقفتَ	أنهيْتَ	أوصلتَ	أجدتَ	أقمتَ
أنتِ	أوقفتِ	أنهيْتِ	أوصلتِ	أجدتِ	أقمتِ
هو	أوقف	أنهى	أوصل	أجاد	أقام
هي	أوقفتْ	أنهت	أوصلت	أجادت	أقامتْ
نحن	أوقفنا	أنهيْنا	أوصلنا	أجدنا	أقمنا
أنتم	أوقفتم	أنهيتم	أوصلتم	أجدتم	أقمتم
هم	أوقفوا	أنهَوا	أوصلوا	أجادوا	أقاموا

121

SOLUTIONS

L'inaccompli

أنا	أُوقِفُ	أُنهي	أُوصِلُ	أُجيدُ	أُقيمُ
أنتَ	تُوقِفُ	تُنهي	تُوصِلُ	تُجيدُ	تُقيمُ
أنتِ	تُوقِفينَ	تُنهينَ	تُوصِلينَ	تُجيدينَ	تُقيمينَ
هو	يُوقِفُ	يُنهي	يُوصِلُ	يُجيدُ	يُقيمُ
هي	تُوقِفُ	تُنهي	تُوصِلُ	تُجيدُ	تُقيمُ
نحن	نُوقِفُ	نُنهي	نُوصِلُ	نُجيدُ	نُقيمُ
أنتم	تُوقِفونَ	تُنهونَ	تُوصِلونَ	تُجيدونَ	تُقيمونَ
هم	يُوقِفونَ	يُنهونَ	يُوصِلونَ	يُجيدونَ	يُقيمونَ

7. La dérivation V

① a. تَحَرَّكَ، يَتَحَرَّكُ. b. تَذَكَّرَ، يَتَذَكَّرُ. c. تَصَرَّفَ، يَتَصَرَّفُ. d. تَفَرَّقَ، يَتَفَرَّقُ. e. تَكَلَّمَ، يَتَكَلَّمُ. f. تَعَلَّمَ، يَتَعَلَّمُ. g. تَحَدَّثَ، يَتَحَدَّثُ.

②

	accompli	inaccompli
أنا	تكلَّمتُ	أتكلَّمُ
أنتَ	تكلَّمتَ	تتكلَّمُ
أنتِ	تكلَّمتِ	تتكلَّمينَ
هو	تكلَّمَ	يتكلَّمُ
هي	تكلَّمتْ	تتكلَّمُ
نحن	تكلَّمنا	نتكلَّمُ
أنتم	تكلَّمتم	تتكلَّمونَ
أنتنَّ	تكلَّمتنَّ	تتكلَّمنَ
هم	تكلَّموا	يتكلَّمونَ
هنَّ	تكلَّمنَ	يتكلَّمنَ

③ a. (أنا) تحدَّثتُ مع فيصل. b. (هو) تصرَّفَ جيِّداً. c. (نحن) تسلَّقنا الجبل الأخضر. d. (هي) تعرَّفتْ إليك. e. أين تعلَّمتم العربيَّة؟ f. لم تحرَّكْ سيَّارتُك. / ما تحرَّكتْ سيَّارتُك.

④ a. (أنا) أتحدَّثُ مع فيصل. b. (هو) يتصرَّفُ جيِّداً. c. (نحن) نتسلَّقُ الجبل الأخضر. d. (هي) تتعرَّفُ إليك. e. أين تتعلَّمونَ العربيَّة؟ f. لا تتحرَّكُ سيَّارتُك.

⑤ a. لماذا تتعنَّتين دائماً بهذا الأمر؟ (ع – ن – ت) b. مسلسل الجريمة الذي أتفرَّجُ عليه مشوِّق جدًّا. (ف – ر – ج) c. يتعلَّقُ هذا الكتاب بالفلسفة الإسلاميَّة. (ع – ل – ق) d. تعطَّلت سيَّارتنا في وسط الصَّحراء. (ع – ط – ل) e. منذ كم سنة تتعلَّمُ العربيَّة في الجامعة؟ (ع – ل – م)

⑥ تفعَّل

⑦ a. صحيح أنَّ الأحوال الاقتصاديَّة تتبدَّل. b. كيف تتخلَّصين من كلِّ الواجبات؟ c. هل تريدون أن تتفرَّجوا على التِّلفزيون؟ d. وراء أيِّ اسم يتستَّر حسين ككاتب؟ e. بالطَّبع نتحدَّث الفرنسيَّة!

⑧ a. 4. b. 5. c. 1. d. 2. e. 6. f. 3.

⑨

	accompli	inaccompli
أنا	تأخَّرتُ	أتأخَّرُ
أنتَ	تأخَّرتَ	تتأخَّرُ
أنتِ	تأخَّرتِ	تتأخَّرينَ
هو	تأخَّرَ	يتأخَّرُ
هي	تأخَّرتْ	تتأخَّرُ
نحن	تأخَّرنا	نتأخَّرُ
أنتم	تأخَّرتم	تتأخَّرونَ
أنتنَّ	تأخَّرتنَّ	تتأخَّرنَ
هم	تأخَّروا	يتأخَّرونَ
هنَّ	تأخَّرنَ	يتأخَّرنَ

⑩ a. تأخَّرت أختي بسبب زحمة السَّيَّارات. b. قالت زوجتي إنَّك تأثَّرتَ بوالدتك، صحيح؟ c. يبدو أنَّ القاضي تأثَّر بهذه القضيَّة. d. تأثَّرت الوجبات العربيَّة بالطَّهي الغربيِّ. e. لماذا تتأخَّرونَ دائماً، يا شباب؟

⑪

	تزوَّج		تغذَّى	
	accompli	inaccompli	accompli	inaccompli
أنا	تزوَّجتُ	أتزوَّجُ	تغذَّيتُ	أتغذَّى
أنتَ	تزوَّجتَ	تتزوَّجُ	تغذَّيتَ	تتغذَّى
أنتِ	تزوَّجتِ	تتزوَّجينَ	تغذَّيتِ	تتغذَّينَ
هو	تزوَّجَ	يتزوَّجُ	تغذَّى	يتغذَّى
هي	تزوَّجتْ	تتزوَّجُ	تغذَّتْ	تتغذَّى
نحن	تزوَّجنا	نتزوَّجُ	تغذَّينا	نتغذَّى
أنتم	تزوَّجتم	تتزوَّجون	تغذَّيتم	تتغذَّون
أنتنَّ	تزوَّجتنَّ	تتزوَّجنَ	تغذَّيتنَّ	تتغذَّينَ
هم	تزوَّجوا	يتزوَّجون	تغذَّوا	يتغذَّون
هنَّ	تزوَّجنَ	يتزوَّجنَ	تغذَّينَ	يتغذَّينَ

⑫ a. أتمنَّى لها التَّوفيق في الامتحان. b. تتغذَّون عند عائلة صديقتنا. c. هل يتسلَّى قادر في المسرح؟ d. تتجوَّل البنات في بستان جميل. e. تتغيَّر أسعار الأسهم في البورصة كثيراً. f. نتعشَّى في مطعم فاخر وغالٍ! g. هل تتخلَّينَ عن شغلكِ في البريد؟

8. La dérivation VI

①

	تَحادَث	تَناقَش	تَعامَل
أنا	تَحادَثْتُ	تَناقَشْتُ	تَعامَلْتُ
أنتَ	تَحادَثْتَ	تَناقَشْتَ	تَعامَلْتَ
أنتِ	تَحادَثْتِ	تَناقَشْتِ	تَعامَلْتِ
هو	تَحادَثَ	تَناقَشَ	تَعامَلَ
هي	تَحادَثَتْ	تَناقَشَتْ	تَعامَلَتْ
نحن	تَحادَثْنا	تَناقَشْنا	تَعامَلْنا
أنتم	تَحادَثْتم	تَناقَشْتم	تَعامَلْتم
هم	تَحادَثوا	تَناقَشوا	تَعامَلوا
هنَّ	تَحادَثْنَ	تَناقَشْنَ	تَعامَلْنَ

②

	تَحادَث	تَناقَش	تَعامَل
أنا	أَتَحادَثُ	أَتَناقَشُ	أَتَعامَلُ
أنتَ	تَتَحادَثُ	تَتَناقَشُ	تَتَعامَلُ
أنتِ	تَتَحادَثينَ	تَتَناقَشينَ	تَتَعامَلينَ
هو	يَتَحادَثُ	يَتَناقَشُ	يَتَعامَلُ
هي	تَتَحادَثُ	تَتَناقَشُ	تَتَعامَلُ
نحن	نَتَحادَثُ	نَتَناقَشُ	نَتَعامَلُ
أنتم	تَتَحادَثونَ	تَتَناقَشونَ	تَتَعامَلونَ
هم	يَتَحادَثونَ	يَتَناقَشونَ	يَتَعامَلونَ
هنَّ	يَتَحادَثْنَ	يَتَناقَشْنَ	يَتَعامَلْنَ

③ a. تعاملتُ. b. تعاقبتُ. c. تفارقتُ. d. تهاجمنا. e. تناسبتم. f. تنازلوا. g. تقاسمنَ.

④ a. نترافق. b. تتفارقين. c. تتناقشان / يتناقشان. d. يتقاسمون. e. تتعاملان. f. تتقاتلنَ. g. يتجادل.

⑤ a. هل ترافقينا إلى السِّينما؟ b. الصَّديقان تفارقا قبل النَّوم. c. لا يتناسب هذا الفستان مع قياسكِ. d. أنا لا أتجادل مع زوجتي. e. تتهاجم الكلاب على عظمة صغيرة. f. نتقابل في السَّاعة الثَّامنة. g. النَّاس تكاسلوا بسبب الحرارة.

SOLUTIONS

6. a. ترافق، يترافق – نحن b. تفارق، يتفارق – هما c. تناسب، يتناسب – هو d. تجادل، يتجادل – أنا e. تهاجم، يتهاجم – هي f. تقابل، يتقابل – نحن g. تكاسل، يتكاسل – هم

7. a. دعنا نتقابل في السّاعة العاشرة في المقهى! b. تقاسمنا جميع الفطائر الّتي كانت في الثّلاجة. c. تتناقش الأمم المتحدة في مشكلة بلادنا. d. يجب أنْ تتنازلَ عن تناول الحلويات! e. تعاقب فقط رجال مسنون على رأس جمهوريّتكم. f. هل تحادثتنّ في مشروع جديد؟ g. سائقو سيّارات السّباق يتسابقون في البحرين.

8. a. تتشاءمين b. يتقاءل c. أتآلف d. تتضامل e. يتآمرون

9. a. تواجد b. تقاضى c. تناول d. توافق e. تضايق f. تعاون g. تفاوت

10.

ض	ع	ن	ف
ت	و	ا	ج	ص
ع	ل	ض	ى	ا	ث	ا
و	ه	ى	ؤ	ذ	ء	و
ن	ا	ة	آل	ظ	ت	س
ن	ا	ت	ن	و	ل
ط	ؤ	ش	ض	ث	ا	ة
غ	ج	ع	ف	ل	ف	ط
ت	ن	ذ	ك	س	ى	ق
ث	ى	ق	ى	ا	ر

9. La dérivation VII

1. a. انْقَسَمَ، يَنْقَسِمُ b. انْعَكَسَ، يَنْعَكِسُ c. انْسَحَبَ، يَنْسَحِبُ d. انْفَجَرَ، يَنْفَجِرُ e. انْبَسَطَ، يَنْبَسِطُ f. انْكَسَرَ، يَنْكَسِرُ

2.

	accompli	inaccompli
أنا	انْصَرَفْتُ	أنْصَرِفُ
أنتَ	انْصَرَفْتَ	تَنْصَرِفُ
أنتِ	انْصَرَفْتِ	تَنْصَرِفينَ
هو	انْصَرَفَ	يَنْصَرِفُ
هي	انْصَرَفَتْ	تَنْصَرِفُ
نحن	انْصَرَفْنا	نَنْصَرِفُ
أنتم	انْصَرَفْتم	تَنْصَرِفون
أنتنّ	انْصَرَفْتنّ	تَنْصَرِفْنَ
هم	انْصَرَفوا	يَنْصَرِفون
هنّ	انْصَرَفْنَ	يَنْصَرِفْنَ

3. a. يَنْكَسِرُ (هو) b. انْسَحَبْنا (نحن) c. أنْقَسِمُ (أنا) d. انْعَكَسَتْ (هي) e. تَنْفَجِرون (أنتم) f. انْعَقَدْتَ (أنتَ) g. تَنْبَسِطينَ (أنتِ) h. انْقَطَعْتُما (أنتما)

4. a. متى ينطلق القطار التّالي باتّجاه الرّباط؟ b. انظر! انعكس ضوء الشّمس بالمرآة. c. انفجرت ضحكاً عندما قرأتُ عنوان كتابك. d. يبدو أنّ الأصدقاء انقسموا بين مؤيد ومعارض. e. انكسر فرع الشّجرة في العاصفة الشّديدة. f. اندمجنا في حياتنا الجديدة في الرّيف بسهولة.

5.

Racine	Pronom personnel
a. ط – ل – ق	هو
b. ع – ك – س	هو
c. ف – ج – ر	أنا
d. ق – س – م	هي
e. ك – س – ر	هو
f. د – م – ج	نحن

6. a. انخرطنا في جدل عنيف عن كرة القدم. b. أمس اللّيل انزلقتُ على الجليد وسقطتُ. c. انقلب الجمل و انكسر ساقه. d. انزلقتْ شاحنة ضخمة على طريق صحراويّ. e. طالبان انفصلا عن باقي المجموعة. f. بسبب العاصفة انقطع التّيار الكهربائيّ في بيتنا!

7. a.

	accompli	inaccompli
أنا	انْطَفَأتُ	أنْطَفِئُ
أنتَ	انْطَفَأتَ	تَنْطَفِئُ
أنتِ	انْطَفَأتِ	تَنْطَفِئينَ
هو	انْطَفَأَ	يَنْطَفِئُ
هي	انْطَفَأَتْ	تَنْطَفِئُ
نحن	انْطَفَأنا	نَنْطَفِئُ
أنتم	انْطَفَأتم	تَنْطَفِئون
هم	انْطَفَؤوا	يَنْطَفِئون

b.

	accompli	inaccompli
أنا	انْحَزْتُ	أنْحازُ
أنتَ	انْحَزْتَ	تَنْحازُ
أنتِ	انْحَزْتِ	تَنْحازينَ
هو	انْحازَ	يَنْحازُ
هي	انْحازَتْ	تَنْحازُ
نحن	انْحَزْنا	نَنْحازُ
أنتم	انْحَزْتم	تَنْحازون
هم	انْحازوا	يَنْحازون

c.

	accompli	inaccompli
أنا	انْقَضَيْتُ	أنْقَضي
أنتَ	انْقَضَيْتَ	تَنْقَضي
أنتِ	انْقَضَيْتِ	تَنْقَضينَ
هو	انْقَضى	يَنْقَضي
هي	انْقَضَتْ	تَنْقَضي
نحن	انْقَضَيْنا	نَنْقَضي
أنتم	انْقَضَيْتم	تَنْقَضون
هم	انْقَضوا	يَنْقَضون

8. a. ينبغي أنْ تتعلّم جميع المفردات عن ظهر القلب. b. بسبب فيضان شديد انهار الجسر الكبير على النّهر. c. في الخريف تنطوي الأزهار والأوراق.

Racine	Déclinaison du verbe
a. ب – غ – ى	انْبغى، يَنْبغي
b. ه – ا – ر	انهار، ينهار
c. ط – و – ى	انطوى، ينطوي

10. La dérivation VIII

1.

ا	ن	ت	ظ	ر	ذ	ء
و	م	ه	ن	ا	ج	ا
غ	ج	و	ع	ى	ق	ت	ح
ت	ت	ر	ع	ف	ئ	ر
ب	ظ	ث	ا	م
ض	ن	ك	د	ال	ا
آ	ت	ك	م	غ
ض	ذ	ئ	ب	ق	و
ا	ش	ت	غ	ل

2. a. أنا اعتقلت b. هو اشتعل c. أنتم افترقتم d. هنّ احتدمنَ e. أنتما احترمتما f. نحن امتعضنا

3. a. أنتِ تستلمين b. هما يعتبران / تعتبران c. أنتما تعتذران d. أنتَ تفتقر e. هي تختلف f. هم يقتصرون

SOLUTIONS

13. a. أحمد وسميرة يشتريان الهدايا لابنتهما الصّغيرة. b. أكتفي بغرفة بدون أيّة رفاهية. c. نلتقي أمام السّينما لمشاهدة فيلم مصريّ. d. تنتهي المباراة بين الفريقين في الملعب الوطنيّ. e. يحتوي قصر الملك مئة غرفة. f. أكل الضّيوف طبق الحلويّات ويشتهون طبقاً ثانياً.

14. a. 1. b. 3. c. 2. d. 5. e. 4.

15. a. أنا اتّخذتُ – أنا أتّخذ b. هم اتّصلوا – هم يتّصلون c. هو اتّبع – هو يتّبع d. نحن اتّسمنا – نحن نتّسم e. أنتَ اتّخرت – أنتَ تدّخر f. هي ادّعت – هي تدّعي g. أنتِ اطّلعتِ – أنتِ تطّلعين

16. a. اصطدم، يصطدم b. اصطاد، يصطاد c. اضطرب، يضطرب d. اضطرّ، يضطرّ e. ازدحم، يزدحم f. ازدهر، يزدهر

11. La dérivation IX

1.

	اِبْتَلَّ		اِعْوَجَّ	
	accompli	inaccompli	accompli	inaccompli
أنا	ابتللْتُ	أبتلّ	اعوججْتُ	أعوجّ
أنتَ	ابتللْتَ	تبتلّ	اعوججْتَ	تعوجّ
أنتِ	ابتللْتِ	تبتلّين	اعوججْتِ	تعوجّين
هو	ابتلّ	يَبْتَلّ	اعوجّ	يَعْوَجّ
هي	ابتلّتْ	تبتلّ	اعوجّتْ	تعوجّ
نحن	ابتللْنا	نبتلّ	اعوججْنا	نعوجّ
أنتم	ابتللْتم	تبتلّون	اعوججْتم	تعوجّون
هم	ابتلّوا	يبتلّون	اعوجّوا	يعوجّون

2. a. اصفرّ، يصفرّ b. ابيضّ، يبيضّ c. ازرقّ، يزرقّ d. اخضرّ، يخضرّ e. اسودّ، يسودّ

3. a. احمرّ وجهنا من الخوف عندما رأينا شبحاً. b. أنتَ تصفرّ دائماً على متن الطّائرة. c. لماذا ابيضّ أنفي عند أكل غزل البنات؟ d. انظر يا محمّد! ازرقّت السّماء بعد المطر. e. لمّا عملتُ في منجم الفحم اسودّ وجهي كلّ يوم. f. إذا سقيت العشب بشكل منتظم، سوف يخضرّ.

4. a. أصفرّ بعد أكل السّمك. b. يحمرّ النّهر بسبب الحديد فيه. c. أين المظلّة! نبتلّ بالكلّيّة! d. الشّجرة تعوجّ بعد وقت طويل. e. تسودّ غرفتنا بسبب قطع الكهرباء. f. تحوَلّ عينا جاري بشكل شديد بدون نظارته.

12. La dérivation X

1.

	accompli	inaccompli
أنا	اِسْتَفْعَلْتُ	أَسْتَفْعِلُ
أنتَ	اِسْتَفْعَلْتَ	تَسْتَفْعِلُ
أنتِ	اِسْتَفْعَلْتِ	تَسْتَفْعِلين
هو	اِسْتَفْعَلَ	يَسْتَفْعِلُ
هي	اِسْتَفْعَلَتْ	تَسْتَفْعِلُ
نحن	اِسْتَفْعَلْنا	نَسْتَفْعِلُ
أنتم	اِسْتَفْعَلْتم	تَسْتَفْعِلون
أنتنّ	اِسْتَفْعَلْتنّ	تَسْتَفْعِلْنَ
هم	اِسْتَفْعَلوا	يَسْتَفْعِلون
هنّ	اِسْتَفْعَلْنَ	يَسْتَفْعِلْنَ

2. a. (أنتِ) استقبلتِ / تستقبلين b. (هما) استعلما، استعلمتا / يستعلمان، تستعلمان c. (أنتما) استحسنتما / تستحسنان d. (أنا) استكبرتُ / أستكبر e. (هي) استطعتْ / تستطف f. (نحن) استخدمنا / نستخدم g. (أنتَ) استهدفتَ / تستهدف h. (أنتنّ) استطلعتنّ / تستطلعنَ

3. a. أنتَ b. هنّ c. أنتم d. أنتِ e. أنا f. نحن g. أنتَ / هي

4. a. 4. b. 5. c. 6. d. 2. e. 3. f. 1.

4.

	ابتسم	اعتقد	انتظر
أنا	a.ابتسمْتُ	اعتقدْتُ	c.انتظرْتُ
أنتَ	q.ابتسمْتَ	d.اعتقدْتَ	انتظرْتَ
أنتِ	k.ابتسمْتِ	اعتقدْتِ	m.انتظرْتِ
هو	ابتسم	j.اعتقد	انتظر
هي	g.ابتسمتْ	اعتقدتْ	o.انتظرتْ
نحن	b.ابتسمنا	f.اعتقدنا	انتظرنا
أنتم	t.ابتسمتم	اعتقدتم	r.انتظرتم
هم	i.ابتسموا	s.اعتقدوا	e.انتظروا
هنّ	p.ابتسمْنَ	اعتقدْنَ	h.انتظرْنَ

5.

	التحق	امتنع	انتشر
أنا	أَلْتَحِقُ	أَمْتَنِعُ	أَنْتَشِرُ
أنتَ	تَلْتَحِقُ	تَمْتَنِعُ	تَنْتَشِرُ
أنتِ	تَلْتَحِقينَ	تَمْتَنِعينَ	تَنْتَشِرينَ
هو	يَلْتَحِقُ	يَمْتَنِعُ	يَنْتَشِرُ
هي	تَلْتَحِقُ	تَمْتَنِعُ	تَنْتَشِرُ
نحن	نَلْتَحِقُ	نَمْتَنِعُ	نَنْتَشِرُ
أنتم	تَلْتَحِقون	تَمْتَنِعون	تَنْتَشِرون
هم	يَلْتَحِقون	يَمْتَنِعون	يَنْتَشِرون
هنّ	يَلْتَحِقْنَ	يَمْتَنِعْنَ	يَنْتَشِرْنَ
أنتما	تَلْتَحِقان	تَمْتَنِعان	تَنْتَشِران
هما	يَلْتَحِقان / تَلْتَحِقان	يَمْتَنِعان / تَمْتَنِعان	يَنْتَشِران / تَنْتَشِران

6. a. هل هي بنت أحمد؟ – نعم، أعتقد ذلك. b. هل استلمتَ رسالتي؟ – لا، ما استلمتُها، متى أرسلتها؟ c. قد وصلت؟ – نعم، أنا انتظر منذ عشر دقائق. d. أهذا ما اعترف به لكم؟ – نعم، ولكن الواقع لم يكن كذلك. e. هل كان كلّ شيء على ما يرام في الغرفة؟ – لا، لم يشتغل التلفزيون. f. السّوق قريب، صحيح؟ – نعم، نقترح عليكم السّير على الأقدام. g. هل أنتَ تأخّرت؟ – الأفضل أن تلتحق بالمجموعة الثانية! h. هل تعرفون مترجماً جيّداً؟ – نعم، نعتبره جيّداً للغاية.

7.

Racine	Pronom personnel	Forme
a. ع – ق – د	أنا	inaccompli
b. س – ل – م	أنتَ، أنا	accompli
c. ن – ظ – ر	أنا	inaccompli
d. ع – ر – ف	هو	accompli
e. ش – غ – ل	هو	apocopé
f. ق – ر – ح	نحن	inaccompli
g. ل – ح – ق	أنتِ	subjonctif
h. ع – ب – ر	نحن	inaccompli

8. a. مَن هذه المرأة الشّقراء الّتي تبتسم لنا؟ b. أعتقد أنها صديقة للسّيدة زينب. c. يا إلهي، يرتجف كلّ جسمي! d. أطفالي ينتظرون في المدرسة. عليّ أن أذهب الآن. e. اعتقلت الشّرطة اللصوص الذين هاجموا البنك. f. كان عليه أن يعترف بأنّه كان مخطئاً.

9. a. 4. b. 1. c. 5. d. 3. e. 2.

10.

	accompli	inaccompli		accompli	inaccompli
هي	ابتدأتْ	تبتدى	أنا	ابتدأتُ	ابتدى
أنتَ	ابتدأتَ	تبتدى	نحن	ابتدأنا	نبتدى
أنتِ	ابتدأتِ	تبتدئين	أنتم	ابتدأتم	تبتدئون
هو	ابتدأ	يبتدى	هم	ابتدؤوا	يبتدئون

11. a. اتّحد، يتّحد b. اتّسع، يتّسع c. اتّجه، يتّجه d. اتّهم، يتّهم

12. a. 4. b. 6. c. 2. d. 1. e. 5. f. 3.

SOLUTIONS

5.a. لم أفهمْ لماذا يستكبر حميد علينا. (كبر)
b. هل استكملوا دراستهم الجامعيّة؟ (كمل)
c. مَن استكشف القطب الجنوبيّ؟ (كشف)
d. علينا أنْ نستحدث تقنيّة المعلومات في المكتب. (حدث)
e. الأفضل أنْ تسترشدي بنصائح والدتكِ. (رشد)

6.a. يجب أنْ نستبدل محاسب شركتنا. **b.** استحضرت الشّركة أدوية فعّالة.
c. كيف تستفهمين عن سبب المجاعة؟ **d.** أوصيكم أنْ تستذكروا دروسكم.
e. عليكم أنْ تستنجدا برجال الإطفاء. **f.** لماذا تستهلك دائماً كلّ النّقود؟

7.a. استأجرنا شقّة جديدة في وسط المدينة. (أجر)
b. عليك أنْ تستأذن من الأستاذ. (أذن)
c. استأصل هاشم الشّجرة بيديه فقط. (أصل)
d. هل تريدون أنْ تستأمنيه على أموالكِ؟ (أمن)
e. صحيح أنّ كلّ الزّملاء يستهزؤون بكَ؟ (هزأ)

8.

	L'accompli				
أنا	استأجرتُ	استأذنتُ	استأصلتُ	استأمنتُ	استهزأتُ
أنتَ	استأجرتَ	استأذنتَ	استأصلتَ	استأمنتَ	استهزأتَ
أنتِ	استأجرتِ	استأذنتِ	استأصلتِ	استأمنتِ	استهزأتِ
هو	استأجر	استأذن	استأصل	استأمن	استهزأ
هي	استأجرتْ	استأذنتْ	استأصلتْ	استأمنتْ	استهزأتْ
نحن	استأجرنا	استأذنّا	استأصلنا	استأمنّا	استهزأنا
أنتم	استأجرتم	استأذنتم	استأصلتم	استأمنتم	استهزأتم
هم	استأجروا	استأذنوا	استأصلوا	استأمنوا	استهزؤوا

	L'inaccompli				
أنا	أستأجر	أستأذن	أستأصل	أستأمن	أستهزئ
أنتَ	تستأجر	تستأذن	تستأصل	تستأمن	تستهزئ
أنتِ	تستأجرين	تستأذنين	تستأصلين	تستأمنين	تستهزئين
هو	يستأجر	يستأذن	يستأصل	يستأمن	يستهزئ
هي	تستأجر	تستأذن	تستأصل	تستأمن	تستهزئ
نحن	نستأجر	نستأذن	نستأصل	نستأمن	نستهزئ
أنتم	تستأجرون	تستأذنون	تستأصلون	تستأمنون	تستهزؤون
هم	يستأجرون	يستأذنون	يستأصلون	يستأمنون	يستهزؤون

9.

	accompli	inaccompli
أنا	استحممتُ	أستحمّ
أنتَ	استحممتَ	تستحمّ
أنتِ	استحممتِ	تستحمّين
هو	استحمّ	يستحمّ
هي	استحمّتْ	تستحمّ
نحن	استحممنا	نستحمّ
أنتم	استحممتم	تستحمّون
أنتنّ	استحممتنّ	تستحممنَ
هم	استحمّوا	يستحمّون
هنّ	استحممنَ	يستحممنَ

10.a. إسْتَحْقَقْتِ (أنتِ) **b.** تَسْتَهِلّونَ (أنتم)
c. أسْتَغِلّ (أنا) **d.** إسْتَخْفَفْنَ (هنّ)
e. إسْتَفْزَزْتم (أنتم) **f.** يَسْتَعِدْدَنَ (هنّ)

11.a. تستقلّون **b.** يستمرّ **c.** استقلّ **d.** نستجمّ **e.** استمدّت **f.** تستقرّ

12.a. إسْتَوْجَبَ، يَسْتَوْجِبُ **b.** إسْتَوْرَدَ، يَسْتَوْرِدُ **c.** إسْتَوْضَحَ، يَسْتَوْضِحُ
d. إسْتَوْطَنَ، يَسْتَوْطِنُ **e.** إسْتَوْعَبَ، يَسْتَوْعِبُ **f.** إسْتَوْقَفَ، يَسْتَوْقِفُ

13.

	accompli	inaccompli		accompli	inaccompli
نحن	استيقظنا	نستيقظ	أنا	استيقظتُ	أستيقظ
أنتم	استيقظتم	تستيقظون	أنتَ	استيقظتَ	تستيقظ
أنتنّ	استيقظتنّ	تستيقظنَ	أنتِ	استيقظتِ	تستيقظين
هم	استيقظوا	يستيقظون	هو	استيقظ	يستيقظ
هنّ	استيقظنَ	يستيقظنَ	هي	استيقظتْ	تستيقظ

14.a. أين تستضيف صديقك؟ **b.** تستشيرون محام معروفاً.
c. تستجير القطّة بعيداً عن الكلب. **d.** أستعير قلم فاطمة.
e. نستفيد من دروس البيانو. **f.** لماذا تستهينين بالرّجل السّمين.

15.3.a. هل استطعت المحادثة مع المدير العام، يا ليلى؟
1.b. المصعد معطّل اليوم. هل استطعتم صعود الدّرج؟
3.c. أين تستطيعين هناك شراء السّمك من أجل مساء اليوم؟
2.d. يلعب الأطفال في الخارج كي تستطيعَ أنْ تستقيَ أمّهم النّوم بهدوء.
2.e. أيّة ظلمة! نحن بالكاد نستطيعُ أنْ نرى الطّريق.
1.f. لا تقلقي! أستطيعُ تزويدكِ ببعض النّصائح المفيدة.

16.a.

	accompli	inaccompli
أنا	استرحتُ	أستريح
أنتَ	استرحتَ	تستريح
أنتِ	استرحتِ	تستريحين
هو	استراح	يستريح
هي	استراحتْ	تستريح
نحن	استرحنا	نستريح
أنتم	استرحتم	تستريحون
هم	استراحوا	يستريحون

b.

	accompli	inaccompli
أنا	استفقتُ	أستفيق
أنتَ	استفقتَ	تستفيق
أنتِ	استفقتِ	تستفيقين
هو	استفاق	يستفيق
هي	استفاقتْ	تستفيق
نحن	استفقنا	نستفيق
أنتما	استفقتما	تستفيقان
هما	استفاقا / استفاقتا	يستفيقان / تستفيقان

c.

	accompli	inaccompli
أنا	استصوبتُ	أستصوبُ
أنتَ	استصوبتَ	تستصوبُ
أنتِ	استصوبتِ	تستصوبين
هو	استصوب	يستصوبُ
هي	استصوبتْ	تستصوبُ
نحن	استصوبنا	نستصوبُ
أنتم	استصوبتم	تستصوبون
هم	استصوبوا	يستصوبون

17.a. (أنا) استثنيتُ **b.** (هو) استدعى **c.** (أنتم) استغنيتم **d.** (هنّ) استحليَن
e. (أنتما) استعطيتما **f.** (نحن) استشفينا

18.

	استجدى	استرضى	استوحى
أنا	أستجدي	أسترضي	أستوحي
أنتَ	تستجدي	تسترضي	تستوحي
أنتِ	تستجدين	تسترضين	تستوحين
هو	يستجدي	يسترضي	يستوحي
هي	تستجدي	تسترضي	تستوحي
نحن	نستجدي	نسترضي	نستوحي
أنتم	تستجدون	تسترضون	تستوحون
أنتنّ	تستجدين	تسترضين	تستوحين
هم	يستجدون	يسترضون	يستوحون
هنّ	يستجدين	يسترضين	يستوحين

SOLUTIONS

13. Les auxiliaires modaux

❶ a. عليّ أنْ أدرسَ اللغةَ العربيةَ. b. تتمنّى فاطمة أنْ يسمعَ حسين موسيقى. c. نرجو أنْ يقولوا الحقيقةَ. d. آمل أنْ تكتبي لي رسالة. e. هل من الممكن أنْ نطبخَ الكسكس غداً. f. يأمر الوالد أنْ يمشيَ الأطفال إلى المدرسة.

❷ 1.a. علينا أنْ نسألَ أين المتحف الوطنيّ. b.1. متى يمكنكِ أنْ تريني مكتبك؟ c.2. أرجوكَ أنْ تنبه إلى طريقة نطقك! d.3. يجب أنْ تسيرَ في أوّل شارع إلى اليسار! e.1. هل من الممكن أنْ تقولي لي أين باب الخروج؟ f.1. عليّ أوّلاً أنْ أريَ زوجيَ الفستان.

❸ a. هل من الممكن أنْ تكتبي عنوانَك، يا زهرة؟ b. أحبّ أنْ آكلَ نقانقَ مع الخردل. c. عليكَ أنْ تطهيَ الرزّ بنفسك. d. لا يمكن أنْ تركنوا الباص هنا! e. يريد الألمان أنْ يشربوا البيرة يوميّاً. f. آمل أنْ أسمعَ منكم ردّاً قريباً. g. يجب أنْ نعلمَ، كم الساعة الآن.

❹ d.1. هل تحبّون أنْ تشربوا الشاي؟ f.2. يأمل محمود أنْ يجدَ وظيفة قريباً. a.3. عليكَ أنْ تأتيَ أيضاً إلى المقهى. e.4. ماذا تريد أنْ تفعلَ اليوم؟ b.5. نتمنّى أنْ يلعبَ أطفال الجيران معنا. c.6. أستطيع أنْ أردَّ غداً فقط.

❺ a. لا نريد أنْ ننتظرَ هنا في الخارج. b. لا أريد أنْ أتركَ سيّارتي في هذا المكان. c. هي تعبانة ولذلك تريد أنْ تمكثَ في الفندق. d. هل يستطيع أنْ يُجرّبَ هذا القميص؟ e. هل تريدين أنْ تأكلي الفواكه معي؟ f. هل يمكنني أنْ أرسلَ هذه الرسالة المسجّلة؟ g. علينا أنْ نحجزَ تذكرتين للسفر إلى القيروان.

14. Les maṣdars (les noms d'action)

❶ a. 3. b. 5. c. 1. d. 6. e. 2. f. 4.

❷ a. ضَرْب b. رُجوع c. لَعِب d. رَغبة e. شُرْب f. رَحيل g. سَمْع h. كَذِب

❸

م	ز	ا	ج	و
ت	أ	لا	ق	ذ
غ	ف	ر	ا	ن
ء	ح	ك	ى	آ
ج	و	ل	س	ئ
ى	ه	ب	ض	ق
م	ذ	ر	س	د
ن	ظ	ر	لا	ر
ط	ت	خ	ج	ا
ق	و	ش	ل	س
ح	ك	م	ة	ز

❹ a. نطق b. غفر c. مزج d. نظر e. ركب f. حكم g. درس h. جلس

❺ a.3. أودّ العَمَل في دبيّ. b.6. هي لم يعد بإمكانها النزول لوحدها من السقف. c.5. عليّ الرَكْض بسرعة إلى المصرف. d.2. الماء في بلدنا ليس للشُرْب. e.4. متى تريد الذهاب إلى مصر؟ f.1. هل يمكنني الحُصول على الشهادة.

❻ a. ردّ b. ودّ c. عدّ d. سبّ e. مرّ f. أمر g. قرأ h. سأل

❼ a. نحتاج إلى قاموس لفَهْم جميع المفردات. b. إسمعي يا مايا! ألا تُحبّين الرَقْص؟ c. في هذا الشارع ممنوع وُقوف السيارات! d. أنا لا أفهم سبب رَفْض طلبك. e. يمكنني السَفَر بقدر ما كان ذلك ضروريّاً. f. أسباب المَرض يعرفها فقط الطبيب.

❽ a. 13. b. 12. c. 9. d. 1. e. 11. f. 8. g. 3. h. 4. i. 6. j. 10. k. 2. l. 7. m. 5.

---

❾ a. هل تستطيع الوقوف على الرأس؟
b. طلبنا من السّائق تَرْك التاكسي أمام الباب.
c. هل يُمْكِنُكَ القيام من السّرير؟ d. هل تُحبّ حُضور مؤتمر صحافيّ بنفسك؟
e. ليست لديّ أيّ رغبة في البقاء في الحفلة.
f. حاول الوزراء حَلّ المشاكل السّياسية.
g. أرجو منكِ فَتْح النوافذ. الطقس جميل اليوم.

a. Est-ce que tu (m.) sais faire une figure de poirier ?
b. Nous avons demandé au conducteur de laisser le taxi devant la porte.
c. Est-ce que tu (m.) peux te lever tout seul du lit ?
d. Est-ce que tu (m.) aimes être présent à une conférence de presse ?
e. Je n'ai aucune envie de rester à la fête.
f. Les ministres ont essayé de résoudre les problèmes politiques.
g. Je te (f.) prie d'ouvrir les fenêtres. Il fait beau aujourd'hui.

❿ a. تحدّث الرؤساء عن التَضامُن بين دولهم.
b. نطلب منكم إعْلاماً دقيقاً عمّا ما حدث.
c. عمل خالي خمس سنوات في وزارة الدّفاع.
d. يريد أخي تَسَلُّق الشجرة في حديقتنا.
e. الانْفِصال عن أشياء محبوبة ليس بسيطاً.
f. يبدو أنّ هذا الموضوع صعب، هل أستطيع المحاولة ثانية؟
g. هيّا، دعنا نذهب إلى المطار لاسْتِقْبال الضّيوف.
h. إسمعوا! عليكم تَبْديل القطار في الرّباط.
i. أرجو منكِ فقط الابْتِسام وسأكون سعيداً!

⓫

verbe	masdar	schéma	
بَدَّلَ	تَبْديل	تَفْعيل	II
دافَعَ	دِفاع	فِعال	III
حاوَلَ	مُحاوَلة	مُفاعَلة	III
أَعْلَمَ	إعْلام	إفْعال	IV
تَسَلَّقَ	تَسَلُّق	تَفَعُّل	V
تَضامَنَ	تَضامُن	تَفاعُل	VI
انْفَصَلَ	انْفِصال	انْفِعال	VII
ابْتَسَمَ	ابْتِسام	افْتِعال	VIII
اسْتَقْبَلَ	اسْتِقْبال	اسْتِفْعال	X

⓬ a. تَدْريس b. مُعالَجة c. تَزَوُّج d. تَنافُس e. اقْتِسام f. اسْتِخْدام

⓭ a.3. تَنْظِمون اجتماعاً لجميع المعلّمين في المدرسة. (ج – م – ع)
b.5. وعد أحد المرشحين تخفيض الضرائب. (خ – ف – ض)
c.2. أعتذر عن تأخُّري! حركة المرور صعبة اليوم. (أ – خ – ر)
d.6. لم تفهموا شيئاً؟ ما رأيكم بمُراجَعة هذا الدرس؟ (ر – ج – ع)
e.1. سامحني على الازْعاج! ما عرفتُ أنّك في البيت. (ز – ع – ج)
f.4. هدف القمّة السياسيّة التَّسامُح السِّلميّ بين الشعبين. (س – م – ح)

⓮ a. رجاءً، أرغب التَحَدُّث مع السيّد محبوب.
b. يمكنكما المغادرة بعد ساعة.
c. هل عندك ضيوف؟ عليك ترتيب الشّقّة. d. سأذهب الآن لتناول الغداء.
e. لماذا لا تأخذ حبّة تنويم؟ f. كيف كان حفل الاستقبال ليلة الأمس؟
⓯ a. أودّ السّكن في حيّ فاخر. b. هل نستطيع تأجيل موعدنا؟
c. هو يريد فَتْح حساب مصرفيّ. d. ليس من الممكن تنفُّسه ببطء.
e. نأمل مُقاطَعة دولتنا منتجات هذا البلد. f. أرجو إرسالِك الطّرد فوراً.
⓰ a. أنا أفضّل أنْ أعود إلى البيت. b. لا يمكن أنْ تُدخّنوا هنا!
c. هل تُريدان أنْ تتزوّجا على المدينة القديمة؟ d. عليكِ أنْ تُقدّمي الماء لكلبك.
e. عفواً، هل يمكنُنا أنْ نُغيّرَ الغرفة؟ f. بودّي أنْ أبقى لفترة أطول.

15. La négation du futur

❶ a. لا، لن يذهبَ أخوه إلى المدرسة. b. لا، لن يبدأَ عملي بعد شهرين.
c. لا، لن نبقى طويلاً في الحفلة. d. لا، لن نخرجَ في هذا الطّقس إلى الشّارع.
e. لا، لن نأكلَ الكباب غداً. f. لا، لن نمكثَ ساعة واحدة فقط.

❷ a.2. b.3. c.1. d.2. e.1.

❸ a. لن نذهب اليوم مساءً إلى السّينما. b. لن يغادرَ القطار بعد عشر دقائق.
c. لن تبقى زينب وفاطمة مطوّلاً في المقهى. d. لن تأتي الآن معنا إلى السّوق.
e. لن أسألَها لماذا لا تُحبّني. f. لن يعودوا في غضون خمس دقائق.

SOLUTIONS

2 a. 4. تركض كالحصان. b. 3. اشتريتُ سيّارة بألف ريال. c. 5. تعالوا إلى منزلي لمشاهدة الفيلم الجديد! d. 6. هنا بارد كالثّلّاجة. e. 2. أمس بقينا للمساء في المكتب. f. 1. عليك أن تُخبرَنا بالهاتف.

3

ر	ض	ي	لا	ة
غ	ل	آ	ا	ب
ا	ع	ت	ق	د
ح	ص	غ	ت	ل
ث	ج	ك	ن	خ
ف	أ	م	ع	و
ظ	آ	ا	و	ع
ث	غ	ل	ب	ل
ا	ه	ت	م	ث
ج	ح	ى	أ	ط
و	ث	ق	ي	ب

4 a. رحّب بنا وفد رسميّ في المطار. b. هل تحتاج لمساعدة منّي يا سيّدي؟ c. حلمتُ بكِ اللّيلة كلَّها يا سلمى. d. هل تستطيع أن تمرَّ بالمخبز؟ e. اضطررنا لاستعمال التّاكسي بسبب الإضراب. f. نُعجب بجمال شعر جبران خليل جبران. g. اغفر لنا إذا ما فهمنا دائماً كلّ شيء. h. هل ترغب بغرفة مزدوجة أم غرفة مفردة؟

5 a. سوف نُرسل لكم بطاقة من العطلة. b. مَن قال لكَ إنّ باسم مريض؟ c. ماذا حدث لهنّ خلال سفرهنّ؟ d. ها القطار! لا بدّ لها المغادرة الآن! e. عبّرتْ لي والدتي عن قلقها. f. أنا أريد أن أقدّم لكما اقتراحاً عظيماً.

6
a. Nous allons vous envoyer une carte postale des vacances.
b. Qui t'a (m.) dit que Basim était malade ?
c. Qu'est-ce qui leur (f.) est arrivé au cours de votre voyage ?
d. Voici le train ! Il faut absolument qu'elle parte maintenant.
e. Ma mère m'a exprimé sa préoccupation.
f. Je veux vous (duel) faire une grande proposition.

7 a. أنتَ جوعان؟ حسناً! لنذهبْ إذاً إلى المطعم! b. معي جميع الوثائق. لنُكمّل الإجراءات فوراً! c. لا أظنّ ذلك! لتُراجعْ الحساب بالتّفصيل! d. سوف أعتمد عليكم. لتُغلقوا الباب الرّئيسيّ! e. أجلب شيئاً ما من الثّلّاجة لأشربَه.

8 a. بقينا عند عمّنا حتّى منتصف اللّيل. b. نذهب إلى جبال الألب في سويسرا. c. كفّوا عن كلّ هذا الهراء يا أطفال! d. هل تُحبّ الشّاي بدون سكّر؟ e. وصلتُ أنا مع عائلتي من دبي. f. يتناقش أزواجنا حول كرة القدم فقط. g. تجلس القطّة الصّغيرة على حاوية الزّبالة. h. منذ سنة الشّعب ضدّ كلّ ما يقرّر الوزراء.

9 a. زوجي دائماً على الهاتف. تحدّثنا ساعتين مع محمّد وأخته. b. عفواً، أبحثُ عن مطعم نباتيّ. c. أذهب الآن نحو البيت. d. يقضي فاضل أسبوعاً عند بنت أخته. e. هذا لا يُغيّر من الأمر شيئاً! f. سريري صغير ولكنّه مريح رغم ذلك. g. أين سنلتقي بعد الحفلة الموسيقيّة؟ h. أكلتُ شيئاً قبل الغداء. i.

10 1. متى ستأتي إلى البيت؟ 3. b. عن ماذا تتحدّثينَ يا مريم؟ c. 1. جلسنا معاً حول الطّاولة. 2. d. مشينا بسرعة نحو البحر. e. 3. أنا على ثقة أنّكَ ستجدينَ عملاً. 2. f. انتظروكم في المحطّة بصبر.

11

إلى	على	عن	في	من
q. أهدى	o. أشرف	t. أسفر	x. أثّر	k. استعار
j. تطلّع	s. تفرّج	y. افترق	d. أسرع	m. استفاد
l. توجّه	g. حصل	n. بحث	u. شارك	c. اقترب
a. سلّم	e. دلّ	r. تخلّى	f. فكّر	i. ضحك
w. نظر	p. ساعد	h. تنازل	b. نظر	v. مكّن

---

16. La négation des phrases nominales

1 a. الشّباب غير موجودين في البيت. b. باب المكتب غير مفتوح. c. البنات غير جميلات. d. غرفتي غير واسعة. e. صديقي علي غير سليم. f. اليوم أنا غير فرحان. g. الطّقس في بيروت غير جيّد.

2 a. لا، عثمان غير جوعان. b. لا، الأكل غير طيّب. c. لا، أنا وإخواني غير مواطنين. d. لا، فاطمة غير موجودة في البيت. e. لا، الشّواطئ في عُمان غير مزدحمة. f. لا، الطّلاب غير مجتهدين.

3

c. لَسْتُ	j. أنا	أنتِ
a. لَيْسُوا	d. لَسْتَ	أنتَ
l. لَسْنَ	h. أنتِ	أنتُ
k. لَسْتُما	هو	أنتما
e. لَيْسا	b. لَيْسَتْ	هي
f. لَيْسَتا	i. لَسْنَا	نحن
g. أنتم		لَسْتُم

4 a. أنا لَسْتُ طبّاخاً. b. نحن لَسْنَا مهندسين. c. بنتي لَيْسَتْ ممرّضة. d. أنتم لَسْتُم في بيت نادية. e. أنتَ لَسْتَ مشغولاً الآن. f. هنّ لَسْنَ في الحديقة. g. أنتما لَسْتُما مدرّسين. h. أنتِ لَسْتِ تعبانة.

5 a. الشّاي لَيْسَ بارداً. الشّاي غير بارد. b. الفنجان لَيْسَ صغيراً. الفنجان غير صغير. الفنجان صغير. c. القهوة لَيْسَتْ جيّدة. القهوة غير جيّدة. القهوة جيّدة. d. علي لَيْسَ قصيراً. علي غير قصير. علي قصير. e. أحمد لَيْسَ طويلاً. أحمد غير طويل. أحمد طويل. f. أنا لَسْتُ مُتْعَباً. أنا غير مُتْعَب. أنا مُتْعَب. g. هو لَيْسَ جائعاً. هو غير جائع. هو جائع. h. المطعم لَيْسَ غالياً. المطعم غير غالٍ. المطعم غالٍ.

6 a. أنا لَسْتُ مغربيّاً. b. أنتِ لَسْتِ في القاهرة. c. شكري غير جوعان / لَيْسَ جوعاناً. d. عدن لَيْسَتْ عاصمة اليمن. e. هما غير موجودَين / لَيْسا موجودَين في المدرسة. f. هما لَيْسَتا هنا. g. رائعة هذه الشّمس، أليس كذلك؟

7 a. ما / ليس عندهم منزل في الرّيف. b. ما / ليس عندكَ عائلة كبيرة. c. ما / ليس عندهم مدير فرشاة أسنان. d. ما / ليس عندي صداع اليوم. e. ما / ليس عندكما سرير واسع.

8 a. لا، ما عنده سيّارة. / لا، ليس عنده سيّارة. b. لا، ما عندي نقود. / لا، ليس عندي نقود. c. لا، ما عندها كُتُب. / لا، ليس عندها كُتُب. d. لا، ما عندنا فكرة. / لا، ليس عندنا فكرة. e. لا، ما عندهم جوازات. / لا، ليس عندهم جوازات. f. لا، ما عندهنّ سؤال. / لا، ليس عندهنّ سؤال.

9 a. هل كان عندكَ تذاكر؟ ← لا، ما كان عندنا تذاكر. b. هل كان عندكِ درّاجة؟ ← لا، ما كان عندي درّاجة. c. هل كان عند مريم زوج لطيف؟ ← لا، ما كان عندها زوج لطيف. d. هل عندكَ / عندكِ علبة سجائر؟ ← لا، ما كان عندي علبة سجائر. e. هل كان عندهم دليل سياحيّ؟ ← لا، ما كان عندهم دليل سياحيّ. f. هل كان عندكما بنزين؟ ← لا، ما كان عندنا بنزين.

10 a. 6. b. 3. c. 5. d. 2. e. 1. f. 4.

17. Les prépositions

1 a. لماذا لا تكتب بالقلم؟ b. هل سهرتم لصباح اليوم؟ c. هي صادقتْ فقط أشخاصاً كهؤلاء. d. لا نحبّ السّفر بالطّائرة. e. أختكِ جميلة كالوردة! f. هيّا نمشي لبيت أصدقائنا!

1 a. ستنزلين من الباص في الموقف التّالي. b. ستستطيعون تعلُّم العربيّة في باريس فقط. c. سيحجزُ عمر طاولة في المطعم لأنّ النّادل متشتّت. d. ستبقى هذه اللّيلة في الفندق وستواصلُ رحلتك غداً. e. سنذهبُ، للأسف، إلى البحر الأحمر في الإجازة. f. سيُمكِنُني أن آتيَ غداً عند موعد طبيب الأسنان.

TABLEAU D'AUTOÉVALUATION

Bravo, vous êtes venu à bout de ce cahier ! Il est temps à présent de faire le point sur vos compétences et de comptabiliser les icônes afin de procéder à l'évaluation finale. Reportez le sous-total de chaque chapitre dans les cases ci-dessous puis additionnez-les afin d'obtenir le nombre final d'icônes dans chaque couleur et découvrez vos résultats !

	🙂	😐	🙁			🙂	😐	🙁
1. Le verbe – révision					10. La dérivation VIII			
2. Le subjonctif					11. La dérivation IX			
3. Les neuf dérivations verbales					12. La dérivation X			
4. La dérivation II					13. Les auxiliaires modaux			
5. La dérivation III					14. Les maṣdars (les noms d'actions)			
6. La dérivation IV					15. La négation du futur			
7. La dérivation V					16. La négation des phrases nominales			
8. La dérivation VI					17. Les prépositions			
9. La dérivation VII								

Total, tous chapitres confondus ....

Vous avez obtenu une majorité de…

 Super ! ! ممتاز
Vous maîtrisez maintenant les fondamentaux les plus utiles de l'arabe standard, vous êtes fin prêt !

 Pas mal ! !وسط
Mais vous pouvez encore progresser… Refaites les exercices qui vous ont donné du fil à retordre en jetant un coup d'œil aux leçons !

 Persévérez ! !محاولة ثانية
Vous êtes un peu rouillé… Reprenez l'ensemble de l'ouvrage en relisant bien les leçons avant de refaire les exercices.

Crédits iconographiques :
Fotolia : Incomible : 49, 79 ; Neyro : 13 ; robu_s : 78b. **Shutterstock :** Amplion : 23 ; angkrit : 49, 98 ; Aniwhite : 93 ; ankomando : 44b, 64h, 73, 104 ; Annasunny24 : 78m ; Aratehortua : 85 ; A-R-T : 56b ; artiomcik : 39 ; Artisticco : 74d ; asantosg : 109b ; Blueguy : 83 ; BoBaa22 : 41h ; Boguslaw Mazur : 43 ; Bplanet : 66 ; chaiwatartwork : 58h ; CharacterMarket : 53h ; Chattapat : 46h ; Christos Georghiou : 70m ; chuhastock : 30h ; Creatarka : 82b ; Delices : 41b ; djdarkflower : 113 ; Dooder : 37b ; Duettographics : 11 ; Faberr Ink : 24b ; FielD-Good : 63 ; Fred Ho : 34 ; getfile : 95 ; graphic-line : 25 ; grmarc : 108 ; hand draw : 70 ; happymay : 10 ; honglouwawa : 8 ; hvostik : 93h ; Iconic Bestiary : 45h ; Inkley : 76 ; Iriskana : 67b ; Ivan_Nikulin : 44h, 68, 117h ; jabkitticha : 59, 97 ; jehsomwang : 7hg ; jesadaphorn : 9, 11, 27, 51, 54h, 64b, 68, 117 ; Julie A. Felton : 112g ; Kachalova Kseniia : 70g ; Kakigori Studio : 5 ; Lindarks : 6 ; LineTale : 4, 46b ; liskus : 12 ; Ljudmila Gluzdovskaja : 32 ; loftystyle : 83 ; Mackey Creations : 53b ; Macrovector : 7bd, 7hd, 10b, 16b, 18, 19b, 28h, 57, 60, 71, 77b, 82h, 100, 101, 105, 109b ; Maksim M : 54b ; manop : 86 ; manukandesign : 103 ; Maria Starus : 115 ; Marish : 45b ; Mascha Tace : 111 ; Meilun : 81 ; Millena : 110h ; MSSA : 20b, 70bg, 114b ; narak0rn : 112d ; NataliaProkofyeva : 48b ; Nattle : 69 ; Naty_Lee : 89 ; Neti.OneLove : 74g ; NGvozdeva : 92 ; NotionPic : 24h, 96, 103 ; Olga1818 : 12, 16h, 26, 28b, 42, 62b, 72, 106, 110b, 117h ; Padma Sanjaya : 19h ; ratch : 104 ; Reamolko : 22 ; Rosa Puchalt : 52 ; Rudie Strummer : 20h ; Rvector : 50 ; Sabelskaya : 70hg ; Sentavio : 14, 40h, 114h ; skyclick : 91 ; smilingfresh : 55 ; solgas : 33 ; ST22Studio : 94hd ; stefanolunardi : 70bd ; Stocklifemax : 61 ; subarashii21 : 31 ; Sudowoodo : 56h, 90 ; Tomacco : 84, 116 ; UVAconcept : 77h ; vanillamilk : 38 ; Vector pro : 3 ; VectorShow : 58b ; venimo : 29 ; Vetreno : 81 ; Visual Generation : 78h ; yoshi-5 : 37h, 94, 100 ; Yustus : 40b ; zzveillust : 62h, 48, 88. **Vecteezy :** frankmib6 : 7bg.

Conception graphique : MediaSarbacane	© 2018 Assimil	ISBN : 978-2-7005-0767-6
Mise en pages : Élodie Bourgeois pour Céladon éditions	Dépôt légal : janvier 2018	www.assimil.com
Réalisation : Céladon éditions	N° d'édition : 3709	Imprimé en Slovénie par DZS Grafik